John Wyndham

POCZWARKI

John Wyndham

POCZWARKI

Przełożył
Zbigniew A. Królicki

Dom Wydawniczy REBIS

Tytuł oryginału
The Chrysalids

Copyright © John Wyndham Estate Trust, 1955
All rights reserved

Copyright © for the Polish edition by
REBIS Publishing House Ltd., Poznań 2023

Redaktor serii
Sławomir Folkman

Redaktor tego wydania
Grzegorz Dziamski

Projekt i opracowanie graficzne serii i okładki
Sławomir Folkman / www.kaladan.pl

Ilustracja na okładce
Igor Morski

prawolubni

Wydanie I w tym tłumaczeniu
Poznań 2024

ISBN 978-83-8338-246-3

Dom Wydawniczy REBIS Sp. z o.o.
ul. Żmigrodzka 41/49, 60-171 Poznań
tel. 61-867-47-08, 61-867-81-40
e-mail: rebis@rebis.com.pl
www.rebis.com.pl

Rozdział 1

K iedy byłem bardzo mały, czasem śniło mi się miasto — co było dziwne, ponieważ zacząłem o nim śnić, zanim się dowiedziałem, co to jest. Jednak to miasto, stłoczone nad łukiem wielkiej niebieskiej zatoki, pojawiało się w moich myślach. Widziałem ulice i stojące wzdłuż nich budynki, nabrzeże, a nawet statki w porcie, choć na jawie nigdy nie widziałem morza ani statku...

A te budynki były zupełnie inne niż te, które znałem. Ulicami, co dziwne, jeździły wozy, których nie ciągnęły konie, a na niebie czasem dostrzegałem lśniące i obłe stwory, które z pewnością nie były ptakami.

Najczęściej widziałem to cudowne miejsce w blasku dnia, ale czasem w nocy, gdy światła jak rząd robaczków świętojańskich kładły się wzdłuż brzegu i niektóre z nich wyglądały jak skry dryfujące w wodzie lub powietrzu.

To było piękne, fascynujące miejsce i raz, gdy byłem jeszcze mały i nie wiedziałem, że nie powinienem, zapytałem moją najstarszą siostrę, Mary, gdzie też może być to śliczne miasto.

Pokręciła głową i powiedziała mi, że nie ma takiego miasta — nie teraz. Może jednak, podsunęła, śnię o dawno minionych czasach. Sny są dziwne i trudno je wyjaśnić; tak więc może to, co widziałem, było fragmentem takiego świata, jaki istniał kiedyś — cudownego świata, w którym żyli Dawni Ludzie; takiego, jaki był, zanim Bóg zesłał nań Udrękę.

Potem jednak bardzo poważnie mnie ostrzegła, żebym nikomu o tym nie mówił, bo o ile wiedziała, inni ludzie nie widują takich obrazów ani we śnie, ani na jawie, więc byłoby nieroztropnie im o tym wspominać.

To była mądra rada i na szczęście miałem dość rozsądku, by jej posłuchać. Ludzie w naszej okolicy niechętnie spoglądali na wszystko, co dziwne i niezwykłe, więc nawet moja leworęczność budziła lekką dezaprobatę. Tak więc ani wtedy, ani przez kilka lat później nie wspominałem o tym nikomu — w istocie niemal o tym zapomniałem, bo z czasem śniłem o tym coraz rzadziej, a potem bardzo rzadko.

Jednak zapamiętałem tę radę. Gdyby nie to, może powiedziałbym komuś o dziwnym porozumieniu, jakie łączyło mnie z moją kuzynką Rosalind, co z pewnością sprowadziłoby na nas oboje bardzo poważne kłopoty — gdyby ktoś przypadkiem mi uwierzył. Myślę, że ani ona, ani ja nie przywiązywaliśmy wówczas do tego wagi; po prostu przywykliśmy do ostrożności. Ja z pewnością nie widziałem w tym niczego niezwykłego. Byłem zwyczajnym małym chłopcem dorastającym w zwyczajny sposób i uważającym za zwyczajny otaczający mnie świat. I tak było, dopóki nie poznałem Sophie. Nawet wtedy nie od razu spostrzegłem różnicę. Z perspektywy czasu mogę stwierdzić, że to właśnie wtedy zakiełkowały we mnie pierwsze ziarna wątpliwości.

Tamtego dnia wybrałem się na samotny spacer, co często robiłem. Miałem chyba prawie dziesięć lat. Moja siostra, Sarah, była ode mnie o pięć lat starsza i ta różnica wieku powodowała, że przeważnie bawiłem się sam. Poszedłem polną drogą na południe, wzdłuż granic kilku pól, aż dotarłem do wysokiego nasypu, a potem jeszcze spory kawałek po nim.

Ten nasyp wtedy nie wydawał mi się zagadkowy — był o wiele za duży, żebym myślał o nim jak o czymś zbudowanym przez człowieka, i nigdy nie przyszło mi do głowy łączyć go z cudownymi dziełami Dawnych Ludzi, o których czasem słyszałem. Był po prostu nasypem, zaczającym szeroki łuk, a potem biegnącym prosto jak strzała ku odległym wzgórzom; był po prostu częścią świata, nie dziwniejszą od rzeki, nieba czy samych wzgórz.

Często nań wchodziłem, ale rzadko zapuszczałem się na jego drugą stronę. Z jakiegoś powodu uważałem, że to obca kraina — nie tyle terytorium wroga, ile inny kraj. Jednak odkryłem miejsce, w którym spływające po drugiej stronie nasypu deszcze wymyły piaszczysty parów. Jeśli usiadło się na jego początku i dobrze się odepchnęło, można było zjechać nim z dużą prędkością, by w końcu przelecieć kilka stóp w powietrzu i wylądować na stercie miękkiego piasku na jego końcu.

Robiłem to już kilkakrotnie i nigdy przedtem nikogo nie było w pobliżu, lecz tym razem, gdy podnosiłem się po trzecim zjeździe i szykowałem do czwartego, usłyszałem czyjś głos:

— Cześć!

Rozejrzałem się. W pierwszej chwili nie wiedziałem, skąd dochodzi, potem mój wzrok przyciągnęły kołyszące się wierzchołki gałązek w kępie krzaków. Gałęzie się rozchyliły i spomiędzy nich spojrzała na mnie twarz. Była to opalona twarzyczka otoczona czarnymi lokami. Miała poważną minę, ale iskierki w oczach. Przez moment przyglądaliśmy się sobie, zanim odpowiedziałem:

— Cześć.

Zawahała się, a potem jeszcze szerzej rozchyliła gałęzie. Ujrzałem dziewczynkę trochę niższą ode mnie i może nieco młodszą. Miała na sobie rdzawego koloru drelichowe ogrodniczki i żółtą koszulę. Krzyż naszyty na drelichu był z jakiegoś ciemnobrązowego materiału. Włosy miała związane żółtymi wstążkami w dwa kucyki. Przez kilka sekund dziewczynka stała nieruchomo, jakby niepewna, czy opuścić bezpieczne schronienie, po czym ciekawość wzięła górę nad ostrożnością i wyszła z krzaków.

Spojrzałem na nią zdziwiony, ponieważ była zupełnie obcą osobą. O czasu do czasu odbywały się zebrania lub przyjęcia, na których spotykały się wszystkie dzieci mieszkające w promieniu kilku mil, więc dziwnie było napotkać kogoś, kogo nigdy przedtem się nie widziało.

— Jak masz na imię? — zapytałem.

— Sophie — odparła. — A ty?

— David. Gdzie mieszkasz?

— Tam — powiedziała, niedbale machnąwszy ręką w kierunku obcej krainy za nasypem.

Oderwała ode mnie oczy i spojrzała na piaszczystą rynnę, którą zjeżdżałem.

— Fajna zabawa? — zapytała z tęskną miną.

Zawahałem się, nim ją zaprosiłem do udziału.

— Tak — powiedziałem. — Chodź i spróbuj.

Ociągała się, znów skupiwszy na mnie uwagę. Przez parę sekund uważnie mi się przyglądała z poważną miną, a potem nagle podjęła decyzję. Wdrapała się na nasyp szybciej ode mnie.

Powiewając kucykami i wstążkami, pomknęła rynną. Kiedy wylądowałem, miała już mniej poważną minę i oczy błyszczące z podniecenia.

— Jeszcze raz — powiedziała i sapiąc, wspięła się na nasyp.

Przy trzecim zjeździe zdarzyło się nieszczęście. Usiadła i odepchnęła się tak jak poprzednio. Patrzyłem, jak zjeżdża i zatrzymuje się w chmurze piasku. Zjechała jakoś tak, że wylądowała kilka stóp dalej w lewo niż zwykle. Szykowałem się do zjazdu i czekałem, aż zrobi mi miejsce. Nie zrobiła.

— Odsuń się — powiedziałem jej niecierpliwie.

Próbowała się poruszyć, a potem zawołała:

— Nie mogę! Boli!

Pomimo to zaryzykowałem zjazd i zatrzymałem się blisko niej.

— Co się stało? — spytałem.

Skrzywiła się. Miała łzy w oczach.

— Noga mi utknęła.

Lewą nogę miała zasypaną. Odgarnąłem miękki piasek. Jej bucik zaklinował się w wąskiej szczelinie miedzy dwoma spiczastymi kamieniami. Próbowałem go poruszyć, ale ani drgnął.

— Nie możesz go jakoś wyciągnąć? — zapytałem.

Spróbowała, dzielnie zaciskając wargi.

— Nie da się.

— Pomogę ci ciągnąć — zaproponowałem.

— Nie, nie! To boli — zaprotestowała.

Nie wiedziałem, co robić. Najwyraźniej bardzo ją bolało. Szukałem rozwiązania problemu.

— Najlepiej przetnijmy sznurówki, żebyś mogła wyjąć nogę z bucika. Bo nie mogę dosięgnąć węzła — zdecydowałem.

— Nie! — zawołała przestraszona. — Nie wolno mi.

Powiedziała to tak stanowczo, że zbiła mnie z tropu. Gdyby wyjęła stopę z bucika, moglibyśmy wyciągnąć sam bucik ze szczeliny, skoro jednak nie chciała, nie wiedziałem, co można by zrobić. Wyciągnęła się na piasku, wysoko unosząc kolano uwięzionej nogi.

— Och, jak boli — wykrztusiła. Już nie była w stanie powstrzymać łez. Spływały jej po twarzy. Ale nawet teraz nie krzyczała, wydawała tylko ciche jęki.

— Będziesz musiała wyjąć stopę z buta — oznajmiłem jej.

— Nie! — ponownie zaprotestowała. — Nie wolno mi. Nigdy. Nie mogę.

Usiadłem przy niej, nie wiedząc, co począć. Obiema rękami chwyciła moją dłoń i mocno ją ściskała, płacząc. Było jasne, że stopa boli ją coraz bardziej. Po raz pierwszy w życiu znalazłem się w sytuacji, w której musiałem podjąć jakąś decyzję. Podjąłem ją.

— Płacz nic nie da. Musisz ją wyjąć — oznajmiłem. — Jeśli nie, to zostaniesz tu i pewnie umrzesz.

Nie poddała się od razu, ale w końcu się zgodziła. Niespokojnie patrzyła, jak przecinam sznurówkę. Potem powiedziała:

— Odejdź! Nie wolno ci patrzeć.

Zawahałem się, lecz dzieciństwo to czas pełen niezrozumiałych, choć ważnych konwenansów, cofnąłem się więc kilka kroków i odwróciłem się do niej plecami. Słyszałem, jak ciężko oddycha. Potem znów zapłakała. Obróciłem się.

— Nie mogę — powiedziała, spoglądając na mnie z przestrachem przez łzy, ukląkłem więc, żeby zobaczyć, co mogę zrobić.

— Nie możesz o tym nikomu powiedzieć — zażądała. — Nigdy, przenigdy! Obiecujesz?

Obiecałem.

Była bardzo dzielna. Tylko cicho pojękiwała.

Kiedy udało mi się ją uwolnić, jej stopa wyglądała dziwnie; chcę powiedzieć, że była mocno wykręcona i spuchnięta. Wtedy nawet nie zauważyłem, że ma więcej niż pięć palców...

Zdołałem wybić kamieniem bucik ze szczeliny i podałem go jej. Jednak okazało się, że nie może go włożyć na spuchniętą stopę. Nie mogła także na niej stanąć. Myślałem, że poniosę ją

na barana, ale była cięższa, niż się spodziewałem, i było jasne,
że daleko tak nie zajdziemy.

— Będę musiał pójść po kogoś, żeby pomógł — oznajmiłem jej.

— Nie. Pójdę na czworakach — odparła.

Szedłem obok niej, niosąc bucik i czując się bezużyteczny.
Dzielnie i zadziwiająco długo się tak przemieszczała, ale w końcu musiała się poddać. Spodnie miała przetarte na kolanach,
a same kolana poranione i krwawiące. Nie znałem chłopca ani
dziewczyny, nikogo, kto wytrzymałby taką udrękę, patrzyłem
więc na nią z niemal nabożnym podziwem. Pomogłem jej stanąć
na zdrowej nodze i podtrzymałem, gdy pokazywała mi, gdzie
jest jej dom i wskazującą kierunek smugę dymu. Gdy przystanąłem i spojrzałem za siebie, znów była na czworakach i znikała w krzakach.

Bez trudu znalazłem ten dom i zapukałem, trochę nerwowo.
Drzwi otworzyła wysoka kobieta. Miała ładną twarz i duże jasne
oczy. Jej suknia była rudawa i trochę krótsza niż noszone przez
większość kobiet w domu, a naszyty na niej zwyczajowy krzyż,
sięgający od piersi do piersi i od szyi do lamówki, był zielony
jak chusta na jej głowie.

— Czy pani jest matką Sophie? — zapytałem.

Spojrzała na mnie ostro i zmarszczyła brwi. Śpiesznie i z niepokojem spytała:

— O co chodzi?

Powiedziałem jej.

— Och! — wykrzyknęła. — Jej stopa!

Przez chwilę znów spoglądała na mnie groźnie, a potem
oparła o ścianę miotłę, którą trzymała w ręku, i zapytała raźnie:

— Gdzie ona jest?

Poprowadziłem ją tą samą drogą, którą przyszedłem. Na
dźwięk jej głosu Sophie wyczołgała się z zarośli.

Matka spojrzała na jej spuchniętą, wykręconą stopę i zakrwawione kolana.

— Och, moje biedactwo! — powiedziała, tuląc ją i całując. Potem spytała: — On to widział?

— Tak — odparła Sophie. — Przepraszam, mamusiu. Bardzo się starałam, ale nie mogłam sobie poradzić sama, a to bardzo bolało.

Jej matka powoli pokiwała głową. Westchnęła.

— No cóż, teraz już nic na to nie poradzimy. Wstań. Sophie wspięła się na plecy matki i wszyscy troje wróciliśmy do ich domu.

Możesz znać na pamięć nakazy i zakazy, które wpojono ci w dzieciństwie, lecz niewiele one znaczą, dopóki nie znajdziesz się w sytuacji, której dotyczą — a i wtedy musisz się zorientować, że to ta sytuacja.

Tak więc siedziałem cierpliwie, obserwując, jak skręcona noga jest obmywana, jak nakłada się na nią zimny okład oraz bandażuje, i nie widziałem związku między tym wszystkim a twierdzeniem, które słyszałem prawie każdej niedzieli mojego życia:

— I Bóg stworzył człowieka na swój obraz i podobieństwo.

I Bóg oznajmił, że człowiek powinien mieć jedno ciało, jedną głowę, dwie ręce i dwie nogi; że każda ręka powinna mieć dwa stawy i jedną dłoń; że każda dłoń winna mieć cztery palce i jeden kciuk, a każdy palec ma być zakończony płaskim paznokciem...

I tak dalej, aż do:

— I Bóg stworzył kobietę, również na swój obraz i podobieństwo, lecz z następującymi różnicami, zgodnymi z jej naturą; jej głos powinien być wyższy niż głos mężczyzny; nie powinna mieć brody; powinna mieć dwie piersi...

I tak dalej.

Widziałem to wszystko, co do słowa — a jednak widok sześciu palców Sophie nie przywołał niczego z mej pamięci. Widziałem tę stopę spoczywającą na podołku matki. Patrzyłem, jak jej matka spogląda na nią przez chwilę, bierze w ramiona i delikatnie całuje, a potem unosi głowę ze łzami w oczach. Było mi przykro, że tak się zmartwiła, że Sophie cierpi i boli ją noga — ale nic poza tym.

Gdy noga została zabandażowana, zaciekawiony rozejrzałem się po pokoju. Ten dom był o wiele mniejszy od mojego, właściwie był chatką, ale podobał mi się bardziej. Panowała w nim przyjazna atmosfera. I choć matka Sophie była zaniepokojona i zmartwiona, nie miałem wrażenia, że jestem przykrym i niepożądanym czynnikiem zakłócającym ich skądinąd uporządkowane życie, jakie większość ludzi wiedzie w domu. Sam pokój też wydawał mi się lepszy, bo na ścianach nie było napisów, które ludzie mogliby pokazywać innym z dezaprobatą. W ich miejscu w tym pokoju było kilka rysunków koni, które bardzo mi się podobały.

W końcu Sophie, opatrzona, z buzią otartą z łez, pokusztykała do krzesła przy stole. Mimo że bolała ją noga, odzyskała rezon i z powagą gościnnie spytała mnie, czy lubię jajka.

Później pani Wender kazała mi zaczekać i zaniosła ją na górę. Po kilku minutach wróciła i usiadła przy mnie. Wzięła moją dłoń w swoje i przez długą chwilę spoglądała na mnie z poważną miną. Wyraźnie wyczuwałem jej niepokój, chociaż z początku nie było dla mnie jasne, czym się tak niepokoi. Zaskoczyło mnie to, ponieważ wcześniej nie okazywała tego po sobie. W myślach próbowałem ją uspokoić i zapewnić, że nie musi się mnie obawiać, ale ta myśl do niej nie dotarła. Nadal spoglądała na mnie błyszczącymi oczami, podobnie jak Sophie, gdy powstrzymywała płacz. Gdy na mnie patrzyła, jej myśli były niespokojne i ulotne. Ponownie spróbowałem, lecz nie zdołałem ich uchwycić. Potem powoli pokiwała głową i powiedziała:

— Jesteś dobrym chłopcem, Davidzie. Byłeś bardzo miły dla Sophie. Chcę ci za to podziękować.

Poczułem się nieswojo i spojrzałem na swoje buty. Nie pamiętałem, żeby ktokolwiek wcześniej nazwał mnie dobrym chłopcem. Nie wiedziałem, co powinienem na to powiedzieć.

— Jesteś jak Sophie, prawda? — ciągnęła, wciąż na mnie patrząc.

— Tak — odrzekłem. Po czym dodałem: — I myślę, że ona jest strasznie dzielna. To musiało ją bardzo boleć.

— Czy dochowasz tajemnicy... ważnej tajemnicy... ze względu na nią? — zapytała.

— Tak, oczywiście — zapewniłem, ale odrobinę niepewnym tonem, bo nie wiedziałem, co to za tajemnica.

— Czy... widziałeś jej stopę? — spytała, uważnie mi się przyglądając. — Jej palce?

Kiwnąłem głową.

— Tak — potwierdziłem.

— No cóż, to właśnie ta tajemnica, Davidzie. Nikt inny nie może się o tym dowiedzieć. Jesteś jedyną osobą, która o tym wie, poza jej ojcem i mną. Nikt inny nie może się o tym dowiedzieć. Nikt — i nigdy.

— Tak — zgodziłem się i znów poważnie skinąłem głową.

Zamilkła — a przynajmniej przestała mówić, lecz jej myśli biegły dalej, jakby „nikt" i „nigdy" odbijały się smutnym, nieszczęśliwym echem. Potem się zmieniły i były pełne napięcia, gniewu i strachu. Nie zdołałem przesłać jej myśli, więc spróbowałem niezręcznie przekazać jej słowami, że naprawdę tak uważam.

— Nigdy i nikt — zapewniłem ją szczerze.

— To bardzo, bardzo ważne — nalegała. — Jak mam ci to wyjaśnić?

Jednak wcale nie musiała tego wyjaśniać. Jej gwałtowne poczucie ważności tej sprawy było oczywiste. Słowa miały o wiele mniejszą moc.

— Gdyby ktoś się dowiedział, oni... — rzekła — oni byliby dla niej bardzo niedobrzy. Musimy zadbać, żeby to się nigdy nie zdarzyło. — Jej niepokój jakby zmienił się w coś tak twardego jak żelazny pręt.

— Bo ona ma sześć palców? — spytałem.

— Tak. I nikt oprócz nas nie może o tym wiedzieć. To musi być naszą tajemnicą — powtórzyła z naciskiem. — Obiecasz mi, Davidzie?

— Obiecuję. Mogę przysiąc, jeśli pani chce — zaproponowałem.

— Wystarczy mi obietnica — powiedziała.

Była to tak poważna obietnica, że postanowiłem nie wyjawić jej nikomu — nawet mojej kuzynce Rosalind. Choć w głębi duszy dziwiła mnie jej ważność. To, że tak mały paluszek wywołał tak wielki niepokój. Jednak dorośli często robili mnóstwo zamieszania z nieproporcjonalnie małych powodów. Tak więc uchwyciłem się najważniejszego — potrzeby dochowania tajemnicy.

Matka Sophie spoglądała na mnie ze smutną, lecz nieobecną miną, aż poczułem się nieprzyjemnie. Zauważyła mój niepokój i uśmiechnęła się. Był to miły uśmiech.

— Zatem dobrze — powiedziała. — Zachowamy to w tajemnicy i nigdy więcej nie będziemy o tym mówić?

— Tak — potwierdziłem.

W drodze do drzwi przystanąłem i odwróciłem się.

— Czy mogę wkrótce przyjść i znów zobaczyć Sophie? — zapytałem.

Zawahała się, zastanawiając się nad tym, po czym odparła:

— Dobrze, ale tylko jeśli będziesz pewny, że możesz przyjść tu tak, żeby nikt się o tym nie dowiedział.

Dopiero kiedy dotarłem do nasypu i szedłem po nim w stronę domu, skojarzyłem monotonne niedzielne nakazy z rzeczywistością. Połączyły się z niemal słyszalnym kliknięciem. Definicja człowieka sama przyszła mi do głowy: „i każda noga będzie miała dwa stawy i jedną stopę, a każda stopa pięć palców i każdy z nich zakończony paznokciem…". I tak dalej, aż w końcu: „I każde stworzenie wyglądające jak człowiek, lecz nieuformowane w ten sposób nie jest człowiekiem. Nie jest mężczyzną ni kobietą. Jest bluźnierstwem wobec prawdziwego obrazu Boga nienawistnym dla Jego oczu".

Nagle bardzo mnie to zaniepokoiło — a także zaciekawiło. Bluźnierstwo, co wystarczająco często mi powtarzano, było czymś przerażającym. Jednak w Sophie nie było niczego przerażającego. Była zwyczajną małą dziewczynką — chociaż o wiele rozsądniejszą i dzielniejszą niż większość. Jednak zgodnie z tą definicją…

Najwyraźniej gdzieś tu musiał być błąd. Przecież jeden dodatkowy paluszek — no dobrze, dwa bardzo małe paluszki, gdyż zapewne przy drugiej stopie miała taki sam — z pewnością nie czynią jej „nienawistnym dla Jego oczu"?

Zaprawdę niezbadane były drogi tego świata…

Rozdział 2

Wróciłem do domu moją stałą trasą. W miejscu, gdzie las wąskim pasmem porastał i przecinał nasyp, zszedłem zeń wąską, mało uczęszczaną ścieżką. Od tej chwili byłem czujny i trzymałem w ręku scyzoryk. Powinienem trzymać się z dala od lasu, bo czasem — choć bardzo rzadko — duże stwory docierały nawet do takich cywilizowanych okolic jak Waknuk, istniało więc ryzyko spotkania z jakimś dzikim psem lub kotem. Jednak jak zwykle słyszałem tylko odgłosy pospiesznie umykających małych stworzeń.

Około mili dalej dotarłem do pól uprawnych i za trzema lub czterema z nich widać już było dom. Poszedłem skrajem lasu, ostrożnie obserwując go zza osłony drzew, a potem, kryjąc się w cieniu żywopłotów, podbiegłem do ostatniego pola i przystanąłem, aby znów przepatrzyć teren. W zasięgu wzroku nie było nikogo prócz starego Jacoba, który powoli przerzucał gnój na podwórku. Gdy był bezpiecznie odwrócony do mnie plecami, szybko przebiegłem po otwartym terenie, wspiąłem się na parapet okna i ostrożnie wśliznąłem się do mojego pokoju.

Nasz dom niełatwo opisać. Od kiedy ponad pięćdziesiąt lat wcześniej mój dziadek Elias Strorm zbudował pierwszą jego część, w różnych odstępach czasu dodano nowe pomieszczenia i przybudówki. Teraz po jednej stronie były rozmaite szopy, składy, stajnie i stodoły, a po drugiej pralnie, mleczarnie, serowarnie, izby fornali i tym podobne pomieszczenia z trzech stron obejmujące duże klepisko — znajdujący się po zawietrznej głównego budynku dziedziniec, którego większą część zajmował śmietnik.

Tak jak wszystkie domy w okolicy nasz też miał szkielet z solidnych, grubo ciosanych bali, ponieważ jednak był tu najstarszy, większość przestrzeni ścian zewnętrznych wypełniono cegłami i kamieniami z ruin kilku budowli Dawnych Ludzi, a obrzuconej gliną wiklinowej plecionki użyto tylko do zrobienia ścianek działowych.

Dziadek Elias, przynajmniej w opisach mojego ojca, wydawał się uosobieniem wielu nudnych cnót. Dopiero później stworzyłem sobie jego nieco bardziej wiarygodny, choć mniej pochlebny obraz.

Elias Strorm przybył ze Wschodu, gdzieś znad morza. Nie jest jasne, dlaczego tu ściągnął. On sam utrzymywał, że to bezbożne wschodnie zwyczaje skłoniły go do szukania mniej wyrafinowanego, a żarliwiej wierzącego otoczenia, chociaż słyszałem, jak sugerowano, że w jego rodzinnych stronach nie mogli go już dłużej znieść. Tak czy owak, w wieku czterdziestu pięciu lat przyniosło go do Waknuk — wówczas słabo rozwiniętej, niemal pogranicznej krainy — z całym jego ziemskim dobytkiem na sześciu wozach. Był szorstki i despotyczny, nieubłagany w swej prawości. Jego oczy potrafiły płonąć ewangelicznym ogniem pod krzaczastymi brwiami. Usta miał pełne szacunku dla Boga, a w sercu nieustanny lęk przed szatanem, i trudno powiedzieć, co inspirowało go bardziej.

Wkrótce po postawieniu domu wyruszył w podróż i wrócił z narzeczoną. Była nieśmiała, śliczna w różowo-złoty sposób i o dwadzieścia pięć lat młodsza od niego. Mówiono mi, że poruszała się jak piękne źrebię, gdy myślała, że nikt na nią nie patrzy, i bojaźliwie jak królik, gdy czuła na sobie wzrok męża. Biedactwo: wszystkie jej nadzieje rozsypały się w pył. Spełnianie obowiązków małżeńskich nie zrodziło miłości; nie odmłodziła męża swoją młodością ani nie powetowała mu tego, prowadząc jego dom jak doświadczona gospodyni. Elias nie był człowiekiem, który pomijałby milczeniem takie wady. W kilka lat pozbawił ją źrebięcej gracji napomnieniami, zgasił różowo-złotą urodę kazaniami i stworzył smutne, szare widmo żony, która umarła bez słowa skargi rok po tym, jak urodziła mu drugiego syna.

Dziadek Elias nie miał żadnych wątpliwości co do tego, jaki powinien być jego dziedzic. Mój ojciec miał głęboko wpojoną wiarę w kościach, a niezłomne zasady w ścięgnach, a jednymi i drugimi zawiadywał mózg pełen cytatów z Biblii oraz *Skruchy* Nicholsona. Ojciec i syn jednoczyli się w wierze, a jedyną różnicą między nimi było podejście do niej: w oczach mojego ojca nie pojawiał się ewangeliczny błysk – traktował ją bardziej legalistycznie.

Joseph Strorm, mój ojciec, nie ożenił się, dopóki nie umarł Elias, ponadto nie powtórzył jego błędu – poglądy mojej matki były zgodne z jego zapatrywaniami. Miała silne poczucie obowiązku i żadnych wątpliwości, co nim jest.

Nasz region, a co za tym idzie nasz dom, pierwszy tu postawiony, nazwano Waknuk, ponieważ wedle przekazów dawno, dawno temu, za czasów Dawnych Ludzi, tak nazywała się znajdująca się tutaj lub w pobliżu osada. Te przekazy, jak one wszystkie, były niejasne, ale z pewnością stały tu jakieś budynki, gdyż ich resztki i fundamenty zachowały się, dopóki nie rozebrano ich pod nowe zabudowania. Był tu także ten długi nasyp biegnący aż do wzgórz oraz ogromna wyrwa, z pewnością zrobiona przez Dawnych Ludzi, którzy swoją nadludzką mocą odcięli połowę góry, aby znaleźć coś, co ich interesowało. Być może wtedy nazwano to miejsce Waknuk; w każdym razie taką nosiła teraz nazwę ta zdyscyplinowana, prawomyślna, bogobojna społeczność złożona z około stu rozproszonych gospodarstw, dużych i małych.

Mój ojciec cieszył się tu dużym poważaniem. Gdy w wieku szesnastu lat po raz pierwszy wystąpił publicznie, wygłaszając niedzielne kazanie w kościele zbudowanym przez jego ojca, w okolicy mieszkało jeszcze mniej niż sześćdziesiąt rodzin. Jednak gdy wykarczowano więcej ziemi pod uprawy i przybyli tu nowi osadnicy, nie zginął w ich tłumie. Wciąż był największym właścicielem ziemskim, wciąż często wygłaszał niedzielne kazania i objaśniał rozmaite kwestie wedle praw oraz zasad obowiązujących w niebiosach, a w wyznaczone dni jako sędzia orzekał w sprawach doczesnych. W pozostałym czasie pilnował, by on sam i wszyscy mu podlegli nadal dawali należyty przykład całej okolicy.

W domu życie skupiało się, zgodnie z miejscowym zwyczajem, w dużym salonie, który zarazem był kuchnią. A ponieważ dom był największy i najsolidniejszy w całym Waknuk, to taki był także ten pokój. Znajdujący się w nim wielki kominek był przedmiotem dumy — nie pychy, oczywiście; raczej przejawem świadomości, że z szacunkiem traktuje się wspaniałe materiały dostarczone przez Pana, swoistym przesłaniem. Palenisko było z solidnych kamiennych bloków. Komin wymurowano z cegieł i nigdy nie zapaliły się w nim sadze. Dach wokół niego pokryto, jedyny w okręgu, dachówkami, tak że strzecha na pozostałej części też nigdy się nie zapaliła.

Moja matka pilnowała, by to duże pomieszczenie zawsze było czyste i schludne. Posadzkę zrobiono ze zręcznie dopasowanych kawałków cegieł i kamieni połączonych zaprawą. Umeblowanie składało się z wyszorowanych do białości stołów i stołków oraz kilku krzeseł. Ściany były pobielane. Zawieszono na nich kilka polerowanych rondli, zbyt dużych, by się zmieściły w kredensach. Jedynym dekoracyjnym akcentem były liczne drewniane tabliczki z artystycznie wypalonymi cytatami, głównie ze *Skruchy*. Ta na lewo od kominka głosiła: JEDYNIE CZŁOWIEK JEST STWORZONY NA OBRAZ I PODOBIEŃSTWO PANA BOGA. Po prawej: ZACHOWUJCIE CZYSTOŚĆ TRZODY BOŻEJ. Na przeciwległej ścianie dwie kolejne głosiły: BŁOGOSŁAWIONA JEST NORMALNOŚĆ oraz W CZYSTOŚCI NASZE ZBAWIENIE. Największa wisiała na tylnej ścianie, naprzeciw drzwi prowadzących na podwórze. Przypominała każdemu wchodzącemu: STRZEŻ SIĘ MUTANTA!

Często odwoływano się do tych tekstów, zaznajomiłem się więc z nimi dużo wcześniej, niż nauczyłem się czytać; w istocie nie jestem pewien, czy nie były pierwszymi, które przeczytałem. Znałem je na pamięć, tak samo jak te w innych miejscach domu, z takimi stwierdzeniami jak: NORMALNOŚĆ JEST WOLĄ BOŻĄ czy REPRODUKCJA JEST JEDYNĄ UŚWIĘCONĄ PRODUKCJĄ lub DIABEŁ JEST OJCEM DEWIACJI oraz różne inne o odstępstwach i bluźnierstwach.

Niektóre z nich wciąż były dla mnie niejasne; o innych już coś wiedziałem. Na przykład o odstępstwach. A to dlatego, że odstępstwo czasem było bardzo frapującym zdarzeniem. Zwykle pierwszą oznaką takiego zdarzenia było to, że ojciec w złym humorze przychodził do domu. Potem, wieczorem, zwoływał nas wszystkich, włącznie z robotnikami, którzy pracowali w gospodarstwie. Wszyscy klęczeliśmy, gdy wyrażał naszą skruchę i odprawiał modły o przebaczenie. Następnego ranka wszyscy musieliśmy wstać przed wschodem słońca i zgromadzić się na podwórzu. O świcie śpiewaliśmy psalm i ojciec uroczyście zarzynał dwugłowe cielę, czworonożnego kurczaka lub inne odstępstwo. A czasem było to coś o wiele dziwniejszego... Odstępstwa nie dotyczyły tylko zwierząt domowych. Czasem były to jakieś łodygi kukurydzy lub warzywa, które ojciec z gniewem i wstydem pokazywał, rzucając na kuchenny stół. Jeżeli warzywa rosły tylko na kilku grządkach, to po prostu były wyrywane i niszczone. Jeśli jednak zepsuło się całe pole, to czekaliśmy na odpowiednią pogodę, a potem podpalaliśmy je i śpiewaliśmy psalmy, gdy płonęło. Zwykłem uważać, że to piękny widok.

Ponieważ ojciec był żarliwie wierzącym człowiekiem czujnie wypatrującym wszelkich odstępstw, miewaliśmy więcej takich ubojów i pożarów niż ktokolwiek z sąsiadów, ale wszelkie sugestie, że odstępstwa dotykają nas częściej niż innych, bolały go i złościły. Podkreślał, że wcale go nie cieszy wyrzucanie pieniędzy. Był pewny, że gdyby nasi sąsiedzi byli równie sumienni jak my, to bez wątpienia ponosiliby znacznie większe od nas straty — niestety niektórzy ludzie mają elastyczne zasady.

Tak więc bardzo wcześnie dowiedziałem się czym są odstępstwa. Były nimi rzeczy, które nie wyglądały w ł a ś c i w i e — czyli jak ich rodzice lub macierzyste rośliny. Zwykle różniły się tylko jakimś jednym drobnym detalem, lecz choć niewielka, ta różnica była odstępstwem, a jeśli zdarzała się u ludzi, była bluźnierstwem — a przynajmniej tak to nazywano, chociaż najczęściej obie zwano dewiacjami.

Pomimo wszystko kwestia odstępstwa nie zawsze była tak prosta, jak można by pomyśleć, więc w spornych przypadkach posyłano po rejonowego inspektora. Mój ojciec jednak rzadko go wzywał; na wszelki wypadek likwidował wszystko, co budziło wątpliwości. Byli tacy, którzy nie pochwalali jego sumienności, twierdząc, że gdyby nie on, to statystyka występowania dewiacji w naszym okręgu, coraz lepsza i obecnie o połowę niższa niż w czasach mego dziadka, byłaby jeszcze lepsza. Pomimo to rejon Waknuk słynął z czystości.

Nie był już pograniczem. Ciężka praca i poświęcenie zaowocowały stałym wzrostem liczebności inwentarza i plonów, których mogły nam pozazdrościć nawet niektóre społeczności na wschód od nas. Teraz można było przebyć jakieś trzydzieści mil na południe lub południowy zachód, nim dotarło się do Dzikiego Kraju — czyli terenów, na których ryzyko wystąpienia mutacji było większe niż pięćdziesiąt procent. Dalej był w niektórych miejscach szeroki na dziesięć, a w innych na dwadzieścia mil pas, na którym wszystko rosło dość kapryśnie, a za nim tajemnicze Obrzeża, gdzie niczego nie można było być pewnym i gdzie, cytując mojego ojca, „diabeł stąpa po swych rozległych włościach i drwi z boskich praw". Powiadano, że Obrzeża również mają zmienną szerokość, a za nimi leżą Pustkowia, o których nikt nic nie wie. Zazwyczaj każdy, kto udał się na Pustkowia, ginął na nich, a nieliczni, którzy stamtąd powrócili, nie pożyli długo.

Nie Pustkowia jednak, lecz Obrzeża od czasu do czasu sprawiały nam kłopoty. Ludzie z Obrzeży — a przynajmniej nazywano ich ludźmi, bo choć tak naprawdę byli dewiantami, to często wyglądali jak zwyczajni ludzie, jeśli coś z nimi nie było za bardzo nie tak — mieli bardzo niewiele na tym swoim pograniczu, zapuszczali się więc na cywilizowane tereny, aby kraść ziarno, inwentarz, ubrania, narzędzia i broń, jeśli mogli; a czasem porywali dzieci.

Takie niewielkie wypady zwykle zdarzały się dwa lub trzy razy w roku i z reguły nikt nie przywiązywał do nich wagi — oczywiście z wyjątkiem tych, którzy zostali napadnięci. Zazwyczaj mieli czas na ucieczkę i tracili tylko inwentarz. Potem wszyscy składali się na niewielką zapomogę w naturze lub pieniądzach, żeby mogli znów stanąć na nogach. Jednak z biegiem czasu granica przesuwała się dalej i coraz liczniejsi mieszkańcy Obrzeży wegetowali na kurczącym się pasie ziemi. W niektórych latach byli bardzo głodni i po pewnym czasie nie były to już wypady kilkunastoosobowych grup szybko wracających na Obrzeża, lecz najazdy zorganizowanych band wyrządzających wielkie szkody.

W czasach, gdy mój ojciec był dzieckiem, matki uspokajały i straszyły nieznośne potomstwo, grożąc: „Bądźcie grzeczni, bo zawołam do was Starą Maggie z Obrzeży. Ona ma czworo oczu, by was obserwować, czworo uszu, które wszystko słyszą, i cztery ręce, którymi da wam klapsy. Więc uważajcie". Inną złowrogą postacią, którą można było wezwać, był Włochaty Jack. „...a on zabierze was do swej jaskini na Obrzeżach, gdzie mieszka cała jego rodzina. Wszyscy oni też są włochaci, mają długie ogony i codziennie zjadają na śniadanie chłopczyka, a na kolację dziewczynkę". Teraz jednak nie tylko małe dzieci żyły w nerwowym poczuciu bliskiej obecności mieszkańców Obrzeży. Ich istnienie stało się zagrożeniem, a ich rozboje powodem wielu skarg słanych do rządu w Rigo.

Skutek tych petycji był tak niewielki, że równie dobrze można ich było nie wysyłać. W istocie, skoro nikt nie potrafił przewidzieć, gdzie na odcinku pięciuset lub sześciuset mil nastąpi kolejny atak, to trudno było udzielić jakiejś konkretnej pomocy. Tak więc rząd ze swej bezpiecznej siedziby daleko na wschodzie słał wyrazy współczucia i dodawał otuchy, sugerując utworzenie lokalnej milicji. A ponieważ wszyscy zdolni do noszenia broni mężczyźni byli już członkami oddziałów samoobrony powstałych jeszcze w czasach pogranicza, propozycja ta świadczyła o bagatelizowaniu sytuacji.

Dla rejonu Waknuk ewentualny najazd z Obrzeży był raczej niedogodnością niż realnym zagrożeniem. Najdalszy wypad dotarł zaledwie dziesięć mil od nas, lecz od czasu do czasu i z każdym rokiem częściej ogłaszano alarmy, z powodu których zwoływano ludzi i przerywano wszelkie prace. Te przerwy powodowały straty i zamieszanie; co więcej, zawsze budziły niepokój, jeśli najeźdźcy zbliżali się do naszego rejonu — nikt nie mógł być pewny, że pewnego razu nie dotrą dalej...

Przeważnie jednak wiedliśmy wygodny, spokojny, pracowity żywot. W naszym domu mieszkało wiele osób. Członkowie rodziny — moi rodzice i dwie siostry oraz wuj Axel — a oprócz nich były jeszcze kucharki i dojarki, niektóre z mężami fornalami oraz dziećmi, tak więc gdy po całodziennej pracy wszyscy zasiadaliśmy do posiłku, było nas ponad dwadzieścia osób, a gdy zbieraliśmy się na modły, to jeszcze więcej, bo przychodzili także z żonami i dziećmi mężczyźni z sąsiednich chat.

Wuj Axel nie był naszym prawdziwym krewnym. Poślubił Elizabeth, jedną z sióstr mojej matki. Był wtedy marynarzem i wyjechała z nim na wschód, po czym zmarła w Rigo, kiedy on był na morzu, z którego wrócił kaleką. Chociaż z powodu nogi poruszał się powoli, okazał się bardzo przydatny jako złota rączka, więc ojciec pozwolił mu zostać u nas; był także moim najlepszym przyjacielem.

Moja matka miała sześcioro rodzeństwa: cztery siostry i dwóch braci. Jedna z dziewcząt, najmłodsza, była przyrodnią siostrą, a obaj chłopcy przyrodnimi braćmi dla reszty. Hannah, najstarsza, została odprawiona przez męża i od tej pory nikt o niej nie słyszał. Emily, moja matka, była następna pod względem wieku. Kolejna była Harriet, która została poślubiona właścicielowi wielkiego gospodarstwa w Kentak, prawie piętnaście mil od Waknuk. Po niej Elizabeth, która wyszła za wuja Axela. Nie wiedziałem, gdzie jest moja przyrodnia ciotka Lilian i przyrodni wuj Thomas, lecz przyrodni wuj Angus Morton był właścicielem sąsiedniego gospodarstwa, które graniczyło z naszym na odcinku mili lub dłuższym, co złościło ojca, który rzadko w czymkolwiek się z nim zgadzał. Córka Angusa, Rosalind, była oczywiście moją kuzynką.

Chociaż Waknuk było w okręgu największym gospodarstwem, większość z nich działała w podobny sposób i wszystkie się rozrastały, ponieważ zachęcała do tego ich opłacalność; nieustannie prowadzono wyrąb i karczowano nowe tereny pod pola uprawne. Lasy i kępy drzew wycinano, aż okolica zaczęła wyglądać jak od dawna uprawiane ziemie na wschodzie. Mówiono, że obecnie nawet mieszkańcy Rigo bez spoglądania na mapę wiedzą, gdzie znajduje się Waknuk.

Tak więc wychowywałem się na najlepiej prosperującej farmie w dobrze prosperującym okręgu. Jednak mając dziesięć lat, nie zdawałem sobie z tego sprawy. Dla mnie była nieprzyjemnie gwarnym miejscem, gdzie zawsze znajdą ci coś do roboty, a tego lepiej unikać, więc tamtego wieczoru starałem się nie rzucać w oczy, dopóki znajome odgłosy nie oznajmiły mi, że zbliża się pora posiłku i mogę się już pokazać.

Obijałem się, obserwując, jak wyprzęgano konie. W końcu odezwał się dzwon zawieszony na krokwi przy ścianie szczytowej domu. Otwarły się drzwi i ludzie wyszli na podwórze, zmierzając do kuchni. Poszedłem z nimi. Gdy wchodziłem, powitał mnie napis STRZEŻ SIĘ MUTANTA!, lecz był zbyt znajomy, żebym z czymś go skojarzył. W tym momencie interesował mnie jedynie zapach jedzenia.

Rozdział 3

O d tamtego zdarzenia chodziłem zobaczyć się z Sophie raz lub dwa razy w tygodniu. Nauki, jakie pobieraliśmy w domu — czytania, pisania oraz rachowania, których uczyła nas ta czy inna z kilku starszych kobiet — odbywały się rano. Nietrudno było po południowym posiłku wcześniej wymknąć się od stołu i zniknąć, by każdy pomyślał, że ktoś inny znalazł dla mnie jakieś zajęcie.

Gdy jej kostka zupełnie wydobrzała, Sophie pokazała mi ulubione zakamarki swojego terytorium.

Pewnego dnia zabrałem ją na drugą stronę wielkiego nasypu, żeby zobaczyła maszynę parową. W promieniu stu mil nie było drugiej maszyny parowej i byliśmy z niej bardzo dumni. Corky'ego, który jej doglądał, nie było w pobliżu, ale z otwartych drzwi na końcu szopy dolatywały rytmiczne stęknięcia, trzaski i posapywania. Odważyliśmy się stanąć w progu i spojrzeć w zalegający za nim półmrok. Fascynujący był widok wielkich belek unoszących się i opadających z sykiem, gdy w cieniu pod dachem poprzeczna belka powoli kołysała się do przodu i do tyłu, za każdym razem zatrzymując się na moment, jakby zbierała siły do następnego ruchu. Fascynujący — lecz po chwili monotonny. Dziesięć minut zupełnie nam wystarczyło i opuściliśmy szopę, po czym wspięliśmy się na stertę leżącego obok niej drewna. Usiedliśmy, czując, jak się trzęsie pod nami w rytm ospale pracującej maszyny.

— Mój wuj Axel mówi, że Dawni Ludzie z pewnością mieli znacznie lepsze maszyny niż ta — powiedziałem.

— A mój tato mówi, że gdyby jedna czwarta tego, co mówią o Dawnych Ludziach, była prawdą, to musieliby być czarodziejami, a nie ludźmi — odparła Sophie.

— Jednak byli cudowni — upierałem się.

— On mówi, że zbyt cudowni, żeby to była prawda — powiedziała mi.

— Ludzie mówią, że oni umieli latać. On myśli, że to nieprawda? — zapytałem.

— Oczywiście. To głupie. Gdyby oni umieli, to my też byśmy umieli.

— Przecież jest wiele rzeczy, które oni potrafili, a my dopiero się ich uczymy — zaprotestowałem.

— Ale nie latać. — Pokręciła głową. — Albo się potrafi latać, albo nie, a my nie potrafimy.

Już miałem opowiedzieć jej mój sen o mieście i latających nad nim obiektach, ale przecież sen niczego nie dowodzi, więc się rozmyśliłem. W końcu zeszliśmy ze sterty drewna i wróciliśmy do domu, zostawiając tam posapującą i zgrzytającą maszynę. John Wender, ojciec Sophie, wrócił z jednej ze swoich wypraw. Z szopy, w której rozpinał skóry na ramach, dolatywało postukiwanie młotka, a wszędzie wokół unosił się odór garbnika. Sophie podbiegła do niego i zarzuciła mu ręce na szyję. Wyprostował się, przyciskając ją wolną ręką.

— Cześć, kurczaczku — powiedział.

Mnie powitał nieco poważniej. Na mocy niepisanej umowy traktował mnie jak mężczyznę. Od zawsze. Kiedy zobaczył mnie pierwszy raz, spojrzał na mnie tak, że mnie przeraził i bałem się odezwać w jego obecności. Stopniowo jednak to się zmieniło. Zostaliśmy przyjaciółmi. Pokazał mi i powiedział mnóstwo ciekawych rzeczy — a mimo to czasem widziałem, że obserwuje mnie z niepokojem.

Trudno się dziwić. Dopiero kilka lat później zrozumiałem, jak bardzo musiał się zaniepokoić, gdy wrócił do domu i dowiedział się, że Sophie skręciła nogę w kostce i to akurat David Strorm, syn Josepha Strorma, zobaczył jej stopę. Sądzę, że bardzo kusząca musiała wydawać mu się myśl, że martwy chłopiec nie złamałby obietnicy... Być może uratowała mnie pani Wender.

Myślę jednak, że uspokoiłby się, gdyby wiedział, co zdarzyło się w moim domu około miesiąca po tym, jak poznałem Sophie.

Wbiłem sobie w rękę drzazgę, a kiedy ją wyjąłem, rana obficie krwawiła. Poszedłem do kuchni, ale okazało się, że wszyscy są zbyt zajęci przygotowywaniem kolacji, żeby się mną przejmować, znalazłem sobie więc w szufladzie kawałek szmatki. Przez parę minut niezdarnie próbowałem owiązać nią rękę, zanim zauważyła to matka. Cmoknęła z dezaprobatą i kazała mi ją obmyć. Potem zgrabnie owinęła ranę szmatką, narzekając, że musiałem coś sobie zrobić właśnie teraz, gdy jest zajęta. Powiedziałem, że mi przykro, i dodałem:

— Sam mógłbym to zrobić, gdybym miał jeszcze jedną rękę.

Widocznie powiedziałem to za głośno, bo nagle w pokoju zapadła głucha cisza.

Matka zamarła. Rozejrzałem się wokół, zaskoczony nagłą ciszą. Mary, stojąca z ciastem w rękach, dwaj fornale czekający na posiłek, ojciec zajmujący właśnie swoje miejsce u szczytu stołu i inni — wszyscy gapili się na mnie. Spostrzegłem wyraz

twarzy ojca; jego zdumienie zmieniało się w gniew. Przestraszony, nie rozumiejąc powodu takiej reakcji, zobaczyłem, jak zaci-
ska wargi, wysuwa dolną szczękę i marszczy brwi nad jeszcze
niedowierzającymi oczami.

— Co powiedziałeś, chłopcze? — spytał groźnie.

Znałem ten ton. W rozpaczliwym pośpiechu usiłowałem zrozumieć, czym go tak rozgniewałem tym razem. Zacząłem się
jąkać.

— J-ja... ja t-tylko p-powiedziałem, że sam mógłbym zawią-
zać opatrunek — powiedziałem.

Jego spojrzenie stało się mniej niedowierzające, a bardziej
oskarżycielskie.

— I zapragnąłeś mieć trzecią rękę?

— Nie, ojcze. Ja tylko powiedziałem, że gdybym miał jeszcze jedną rękę...

— ...to sam mógłbyś to zrobić. Co to było, jeśli nie prag-
nienie?

— Ja tylko stwierdziłem, że gdybym ją miał — zaprotestowałem. Byłem przestraszony i zbyt zmieszany, żeby wyjaśnić,
że użyłem tylko jednego z wielu sformułowań, jakimi można
było opisać mój kłopot. Zdałem sobie sprawę, że wszyscy prze-
stali się na mnie gapić i teraz z obawą spoglądają na mojego ojca.
Miał ponurą minę.

— Ty — mój własny syn — wezwałeś diabła, żeby dał ci do-
datkową rękę! — rzucił oskarżycielsko.

— Wcale nie. Ja tylko...

— Milcz, chłopcze. Wszyscy w tym pokoju cię słyszeli. Na
pewno nie naprawisz tego, kłamiąc.

— Ależ...

— Czy wyraziłeś niezadowolenie z takiego ciała, jakim ob-
darzył cię Bóg na swój obraz i podobieństwo? Tak czy nie?

— Ja tylko powiedziałem, że gdyby...

— Bluźniłeś, chłopcze. Znalazłeś błąd w Normalności. Wszyscy cię słyszeli. Co na to powiesz? Czy wiesz, czym jest Normalność?

Przestałem protestować. Dobrze wiedziałem, że ojciec w takim nastroju nie spróbuje mnie zrozumieć. Wymamrotałem jak papuga:

— Normalność jest obrazem Boga.

— Dobrze o tym wiesz, a jednak wiedząc to, rozmyślnie zapragnąłeś być mutantem. To straszne i oburzające. Ty, mój syn, bluźniłeś w obecności swych rodziców! — I najsurowszym głosem, jakim przemawiał z kazalnicy, dodał: — Czym jest mutant?

— Stworem przeklętym w oczach Boga i człowieka — wymamrotałem.

— A ty zapragnąłeś nim być! Co masz do powiedzenia na swoją obronę?

Z przygnębiającą pewnością, że nie ma sensu czegokolwiek mówić, nie otwierałem ust i spuściłem oczy.

— Na kolana! — rozkazał. — Klęknij i módl się!

Inni też uklękli. Ojciec podniósł głos:

— Panie, zgrzeszyliśmy zaniedbaniem. Błagamy, wybacz nam, że nie nauczyliśmy lepiej Twego dziecka Twoich praw…

Modlił się długo i głośno. Po „amen" zapadła cisza, którą przerwał, mówiąc:

— Teraz idź do swojego pokoju i módl się. Módl się, nędzniku, o wybaczenie, na które nie zasługujesz, lecz którym Bóg w swoim miłosierdziu może cię obdarzyć. Przyjdę do ciebie później.

W nocy, gdy ból po wizycie ojca trochę zelżał, leżałem, nie mogąc zasnąć i rozmyślając. Wcale nie pragnąłem mieć trzeciej ręki, ale nawet gdybym chciał…? Czy to takie straszne choćby wyobrażać sobie, że ma się trzy ręce i co by było, gdyby się je miało — albo jakąś inną wadę, na przykład dodatkowy palec? A kiedy w końcu zasnąłem, miałem sen.

Wszyscy zebraliśmy się na dziedzińcu, jak podczas ostatniego Oczyszczenia. Wtedy stało tam małe bezwłose cielę, głupio mrugając na widok noża w dłoni mojego ojca; tym razem była to bosa Sophie, daremnie usiłująca ukryć widoczny dla wszystkich nadmiar palców u obu stóp. Staliśmy, patrząc na nią i czekając. W końcu zaczęła biegać od jednej osoby do drugiej, prosząc o pomoc, ale nikt z obecnych się nie poruszył, a ich twarze były bez wyrazu. Mój ojciec, surowy i nieubłagany, zbliżał się do niej, lecz nikt nie przyszedł jej z pomocą. Ojciec zbliżał się coraz bardziej, zapędzając ją w kąt, szeroko rozłożywszy długie ręce, żeby uniemożliwić jej ucieczkę.

Złapał ją i zawlókł z powrotem na środek dziedzińca. Zza horyzontu zaczęło się wyłaniać słońce i wszyscy poczęli śpiewać psalm. Ojciec trzymał Sophie jedną ręką, jak wyrywające się cielę. Wysoko uniósł drugą, a gdy błyskawicznie ją opuścił, nóż błysnął w promieniach wschodzącego słońca, tak jak wtedy, gdy poderżnął gardło cielęciu...

Gdyby John i Mary Wender byli przy tym, jak zbudziłem się z krzykiem, a potem leżałem w ciemności, usiłując się przekonać, że ten straszny obraz był tylko snem, to sądzę, że bardzo podniosłoby ich to na duchu.

Rozdział 4

Był to czas, gdy po okresie spokoju nadszedł taki, w którym nieustannie coś się działo. Bez jakiegoś konkretnego powodu — chcę powiedzieć, że niewiele tych zdarzeń było ze sobą powiązanych; raczej jakby rozpoczął się jakiś aktywny cykl, coś jak zmiana pogody.

Chyba pierwszym z tych zdarzeń było moje spotkanie z Sophie, a następnym to, że wuj Axel dowiedział się o mnie i mojej przyrodniej kuzynce, Rosalind Morton. Na szczęście to on, a nie ktoś inny, przyłapał mnie na rozmowie z nią.

Zapewne to instynkt samozachowawczy kazał nam zachować te rozmowy w tajemnicy, bo nie czuliśmy się zagrożeni — do tego stopnia, że gdy wuj Axel zobaczył, że siedzę za stogiem najwyraźniej zajęty rozmową, to nawet nie starałem się tego ukryć. Mógł tam stać minutę lub dłużej, nim kątem oka zauważyłem czyjąś obecność i obróciłem się, żeby zobaczyć kto to.

Wuj Axel był wysokim mężczyzną, ani chudym, ani tęgim, ale krzepkim i wyglądającym na zahartowanego. Gdy obserwowałem, jak pracuje, zawsze myślałem, że jego opalone ręce i ramiona łączy jakieś pokrewieństwo z gładkimi trzonkami narzędzi, których używał. Stał w typowy dla niego sposób, większość ciężaru ciała opierając na grubej lasce, ponieważ jedną nogę źle mu nastawiono, kiedy ją złamał na morzu. Patrzył na mnie, marszcząc przetykane siwizną krzaczaste brwi, lecz jego opalona twarz zdradzała lekkie rozbawienie.

— No, Davidzie, mój chłopcze, z kim tak rozmawiasz? Z wróżkami, gnomami czy tylko z królikami? — zapytał.

W odpowiedzi tylko pokręciłem głową. Przykuśtykał bliżej i usiadł obok mnie, żując źdźbło trawy ze stogu.

— Czujesz się samotny? — spytał.

— Nie — zapewniłem go.

Znów lekko zmarszczył brwi.

— A nie bawiłbyś się lepiej, gdybyś rozmawiał z innymi dziećmi? — podsunął. — To chyba byłoby ciekawsze, niż siedzieć tak i mówić do siebie?

Zawahałem się, ale ponieważ to był wuj Axel i mój najlepszy przyjaciel wśród dorosłych, wyjaśniłem:

— Przecież to robiłem.

— Ale co? — zapytał, zdziwiony.

— Rozmawiałem z kimś — powiedziałem mu.

Zmarszczył brwi; wciąż miał zdziwioną minę.

— Z kim?

— Z Rosalind — odparłem.

Milczał chwilę, bacznie mi się przyglądając.

— Hmm... jakoś jej tu nie widzę — zauważył.

— Och, nie ma jej tu. Jest w domu... a raczej w pobliżu domu, w swojej kryjówce, domku na drzewie, który jej bracia zbudowali w zagajniku — wyjaśniłem. — To jej ulubione miejsce.

Z początku nie mógł zrozumieć, co mam na myśli. Rozmawiał ze mną tak, jakbyśmy sobie fantazjowali, lecz gdy spróbowałem mu to wyjaśnić kolejny raz, zamilkł i długo mi się przyglądał, aż końcu zrobił bardzo poważną minę. Kiedy skończyłem, przez parę minut milczał, a potem spytał:

— Ty nie fantazjujesz, Davidzie? To szczera prawda, co mi mówisz, mój chłopcze?

A mówiąc to, patrzył na mnie uważnie i przenikliwie.

— Tak, wujku Axelu, oczywiście — zapewniłem go.

— I nigdy nikomu o tym nie mówiłeś, absolutnie nikomu?

— Nie. To tajemnica — powiedziałem.

Najwyraźniej poczuł ulgę. Odrzucił resztę źdźbła trawy i wyjął ze stogu następne. W zadumie odgryzł i wypluł kilka kawałków, po czym znów bacznie na mnie spojrzał.

— Davidzie — rzekł — chcę, żebyś coś mi obiecał.

— Tak, wuju Axelu?

— Posłuchaj — powiedział bardzo poważnie. — Chcę, żebyś nadal trzymał to w tajemnicy. Chcę, byś mi obiecał, że nigdy, przenigdy nikomu innemu nie powiesz tego, co właśnie mi powiedziałeś — n i g d y. To bardzo ważne; później zrozumiesz lepiej, jakie to ważne. Nie wolno ci nawet zrobić niczego, przez co ktoś mógłby się tego domyślić. Obiecasz mi to?

Jego powaga wywarła na mnie ogromne wrażenie. Nigdy nie słyszałem, aby mówił z takim naciskiem. Uświadomiło mi to, że dając mu tę obietnicę, przysiągłem coś więcej, niż mogłem zrozumieć. Gdy ją składałem, patrzył mi w oczy, a potem skinął głową usatysfakcjonowany. Przypieczętowaliśmy naszą umowę uściskiem dłoni. Potem rzekł:

— Byłoby najlepiej, gdybyś zupełnie o tym zapomniał.

Zastanowiwszy się nad tym, przecząco pokręciłem głową.

— Nie sądzę, żebym zdołał, wujku Axelu. Naprawdę. Chcę powiedzieć, że tak po prostu jest. To tak, jakby próbować zapomnieć o... — Urwałem, nie potrafiąc wyrazić tego słowami.

— Jakby próbować zapomnieć, jak się mówi lub słyszy? — podsunął.

— Tak jakby… tylko inaczej — przyznałem.

Skinął głową i znów się zastanowił.

— Słyszysz słowa w głowie? — zapytał.

— Cóż, niezupełnie „słyszę" i niezupełnie „widzę" — powiedziałem mu. — To są… cóż, jakby kształty i jeśli używa się słów, stają się wyraźniejsze, tak że łatwiej je zrozumieć.

— Ty jednak nie musisz używać słów — a przynajmniej wypowiadać ich na głos, jak robiłeś to teraz?

— Och, nie — tylko że przez to czasem łatwiej je zrozumieć.

— I przez to jest to o wiele niebezpieczniejsze dla was obojga. Chcę, żebyś złożył mi jeszcze jedną obietnicę: że już nigdy nie będziesz głośno myślał.

— Dobrze, wujku Axelu — ponownie obiecałem.

— Kiedy będziesz starszy, zrozumiesz, jakie to ważne — powiedział mi, a potem zaczął nalegać, żebym wymógł na Rosalind takie same obietnice. Nie powiedziałem mu nic o reszcie, bo i tak już był bardzo zmartwiony, ale postanowiłem wymóc te obietnice i na nich. W końcu znów wyciągnął do mnie rękę i jeszcze raz uroczyście poprzysięgliśmy zachować to w tajemnicy.

Jeszcze tego samego wieczoru przedstawiłem tę sprawę Rosalind i pozostałym. To skrystalizowało wspólne dla nas wszystkich odczucie. Sądzę, że nie było wśród nas nikogo, kto kiedyś nie popełniłby jakiegoś błędu, który ściągnął na niego zdziwione, podejrzliwe spojrzenie. Kilka takich spojrzeń było dla nas wystarczającym ostrzeżeniem, bo choć niezrozumiałe, były wyraźnym przejawem dezaprobaty graniczącej z podejrzliwością i dzięki nim unikaliśmy kłopotów. Nie mieliśmy żadnej przemyślanej wspólnej polityki. Po prostu każde z nas z osobna przyjęło taki sam sposób bezpiecznego zachowania. Teraz jednak, gdy zaniepokojony wuj Axel wymógł na mnie tę obietnicę,

poczucie zagrożenia wzrosło. Wciąż było dla nas niezrozumiałe, ale bardziej rzeczywiste. Co więcej, próbując im przekazać
poważny ton przestróg wuja Axela, najwyraźniej obudziłem
drzemiący w ich umysłach niepokój, ponieważ nikt nie zapro-
testował. Złożyli obietnicę chętnie, wręcz skwapliwie, jakby
z ulgą zrzucając z serc ciężar i dzieląc się nim z innymi. Było
to nasze pierwsze wspólne działanie i zjednoczyło nas, bo po-
twierdzało naszą współodpowiedzialność za wszystkich członków grupy. To zmieniło nasze życie i było pierwszym krokiem
do zbiorowej samoobrony, chociaż wtedy jeszcze niezbyt to
rozumieliśmy. Wtedy najważniejsze wydawało się poczucie
wspólnoty...

Potem, niemal zaraz po tym ważnym dla nas zdarzeniu,
nadeszło inne, istotne dla wszystkich: najazd hordy z Obrzeży.

Jak zwykle nie było opracowanego planu odparcia inwazji. Jego namiastką było utworzenie kilku punktów zbornych.
W razie ogłoszenia alarmu wszyscy zdolni do walki mężczyźni
z okręgu mieli obowiązek zgłosić się do takiego miejscowego
punktu, gdzie decydowano, jakie podjąć działania stosownie
do lokalizacji i powagi sytuacji. Ta metoda okazała się dość
skuteczna do odpierania ataków niewielkich band, ale tylko do
tego została opracowana. W rezultacie, gdy wśród mieszkańców
Obrzeży znaleźli się przywódcy, którzy potrafili przeprowadzić
zorganizowany atak, nie było opracowanego skutecznego planu
obrony przed najeźdźcami. Mogli nacierać szerokim frontem,
tu i ówdzie likwidując niewielkie oddziały naszej milicji, i gra-
bić do woli, nie napotykając żadnego silnego oporu, aż dotarli
dwadzieścia pięć lub więcej mil w głąb cywilizowanego kraju.

Do tego czasu nasze siły były już trochę lepiej zorganizowane
i dołączyły do nich sąsiednie okręgi, aby zapobiec rozszerzaniu
się pochodu wroga i nękać jego flanki. Ponadto nasi byli lepiej
uzbrojeni. Wielu miało broń palną, podczas gdy ci z Obrzeży

tylko tę, którą zdołali ukraść, ich głównym uzbrojeniem były
więc łuki, noże i włócznie. Pomimo to trudno było powstrzymać ich natarcie na tak szerokim froncie. Mieszkańcy Obrzeży lepiej radzili sobie w lesie i potrafili się ukrywać z nieludzką
zręcznością, dotarli więc jeszcze piętnaście mil dalej, nim zdo-
łaliśmy ich powstrzymać i zmusić do bitwy.

Dla chłopca było to bardzo ekscytujące. Gdy ludzie z Obrzeży znaleźli się niewiele dalej jak siedem mil od Waknuk, nasz
dziedziniec stał się jednym z punktów zbornych. Mój ojciec,
któremu na początku kampanii strzała przeszyła rękę, poma-
gał formować ochotnicze oddziały. Kilka dni trwało zamieszanie, gdy ochotnicy przybywali, byli rejestrowani i otrzymywali
przydziały, po czym w końcu z determinacją ruszali w pole,
a kobiety z naszej farmy machały im chusteczkami.

Kiedy wszyscy — w tym i nasi robotnicy — odjechali, przez
jeden dzień panował wręcz niesamowity spokój. Potem przybył
samotny jeździec. Przystanął na moment, żeby powiedzieć nam,
że stoczono wielką bitwę i mieszkańcy Obrzeży, których przy-
wódców wzięto do niewoli, zmykają co sił w nogach, po czym
odjechał galopem z tymi dobrymi wieściami.

Jeszcze tego samego popołudnia na dziedziniec wjechała
grupka jeźdźców z dwoma wziętymi do niewoli przywódca-
mi Obrzeży.

Rzuciłem robotę i pobiegłem to zobaczyć. Z początku byłem
trochę rozczarowany. Znając opowieści o mieszkańcach Obrzeży, spodziewałem się ujrzeć stwory o dwóch głowach lub całe
pokryte futrem, ewentualnie mające sześć rąk lub nóg. Tymczasem na pierwszy rzut oka wyglądali po prostu jak dwaj zwykli
brodaci mężczyźni — chociaż niezwykle brudni i w łachmanach.
Jeden z nich był niski i miał jasne włosy sterczące kępkami, jakby
przyciął je nożem. Jednak gdy przyjrzałem się drugiemu, onie-
miałem ze zdumienia. Byłem tak wstrząśnięty, że nie mogłem

oderwać od niego oczu, bo gdyby odziać go w czyste szaty i przystrzyc brodę, byłby wiernym obrazem mojego ojca...

Siedząc na koniu i rozglądając się wokół, zauważył mnie; najpierw tylko rzucił na mnie okiem, ale potem spojrzał ponownie i zaczął mi się uważnie przyglądać. W jego oczach pojawił się dziwny, zupełnie niezrozumiały dla mnie błysk...

Otworzył usta, jakby chciał coś powiedzieć, lecz w tym momencie z budynku wyszli ludzie — a wśród nich mój ojciec, z ręką na temblaku — żeby sprawdzić, co się dzieje.

Zobaczyłem, jak ojciec przystanął na schodach i popatrzył na grupę jeźdźców, a potem i on zauważył wśród nich tego człowieka. Przez chwilę stał, gapiąc się na niego, tak samo jak ja — a potem krew odpłynęła mu z twarzy, na której pojawiły się szare plamy.

Ponownie zerknąłem na tego mężczyznę. Siedział sztywno wyprostowany na koniu. Wyraz jego twarzy sprawił, że nagle zaparło mi dech. Jeszcze nigdy nie widziałem takiej nienawiści, tak pobrużdżonej nią twarzy, błyszczących oczu i zębów wyszczerzonych jak kły dzikiego zwierzęcia. To nagłe i okropne zetknięcie z czymś dotychczas nieznanym i odrażającym było jak policzek; odcisnęło w moim umyśle ślad, którego nigdy nie zapomniałem...

Potem mój ojciec, wciąż wyglądający na ciężko chorego, wyciągnął zdrową rękę, żeby przytrzymać się framugi, i wszedł z powrotem do domu.

Jeden z jeźdźców eskortujących jeńca przeciął sznur pętający mu ręce. Mężczyzna zsiadł i wtedy zobaczyłem, co jest z nim nie tak. Był jakieś osiemnaście cali wyższy od wszystkich wokół, ale nie dlatego, że był wysoki. Gdyby miał normalne nogi, nie byłby wyższy od mojego ojca, który mierzył pięć stóp i dziesięć cali; ale nie były normalne, lecz potwornie długie i cienkie, tak jak jego ramiona. Wyglądał przez to niczym pół człowiek, pół pająk...

Eskortujący dali mu jedzenie i kufel piwa. Gdy usiadł na ławie, jego kościste kolana znalazły się niemal na poziomie jego ramion. Jedząc chleb z serem, powiódł po dziedzińcu spojrzeniem, które dostrzegało wszystko. Dokonując tych oględzin, ponownie mnie zauważył. Skinął na mnie. Zwlekałem, udając, że tego nie widzę. Skinął ponownie. Zawstydziłem się swego strachu. Podszedłem blisko, a potem jeszcze bliżej, ale przezornie trzymając się poza zasięgiem — jak sądziłem — tych pajęczych rąk.

— Jak się nazywasz, chłopcze? — zapytał.

— David — powiedziałem mu. — David Strorm.

Kiwnął głową, jakby to go zadowoliło.

— Tamten mężczyzna w drzwiach domu, ten z ręką na temblaku, to pewnie twój ojciec, Joseph Strorm?

— Tak — potwierdziłem.

Ponownie skinął głową. Popatrzył na dom i zabudowania.

— Zatem to miejsce to Waknuk? — spytał.

— Tak.

Nie wiem, czy spytałby mnie o coś jeszcze, bo wtedy ktoś kazał mi stamtąd odejść. Nieco później wszyscy dosiedli koni i wkrótce odjechali; człowiek-pająk z ponownie związanymi rękami. Patrzyłem, jak podążają w kierunku Kentaku, zadowolony, że odjechali. Moje pierwsze spotkanie z kimś mieszkającym na Obrzeżach wcale nie było ekscytujące, lecz nieprzyjemnie niepokojące.

Później usłyszałem, że obaj schwytani mężczyźni z Obrzeży zdołali uciec jeszcze tej samej nocy. Nie pamiętam, kto mi o tym powiedział, ale jestem najzupełniej pewny, że nie ojciec. Nigdy później nie słyszałem, by wspominał tamten dzień, a ja nigdy nie miałem odwagi, żeby go o to spytać…

* * *

Ledwie doszliśmy do siebie po inwazji i robotnicy wrócili na farmę, żeby wykonać zaległe prace, ojciec znów się poróżnił z moim przybranym wujem, Angusem Mortonem.

Różnice temperamentów i zapatrywań powodowały, że od wielu lat toczyli ze sobą nieustanne spory. Słyszano, jak ojciec podsumowywał swoją opinię o Angusie, oznajmiając, że jeśli ma on jakieś zasady, to są one tak niewielkie, że wręcz niedostrzegalne, na co podobno Angus odpowiadał, że Joseph Strorm jest pedantem o kamiennym sercu i bigotem ponad wszelką miarę. Tak więc nadal wybuchały między nimi kłótnie, a do ostatniej doszło z powodu pary koni roboczych, które zdobył Angus.

Do naszego okręgu dochodziły plotki o tych wielkich koniach, lecz żadnego z nich tu nie widziano. Ojca niepokoiły te pogłoski, a to, że właśnie Angus sprowadził ową parę, też nie było dobrą rekomendacją; w rezultacie zapewne był z góry do nich uprzedzony, kiedy poszedł je obejrzeć.

Jego obawy natychmiast się potwierdziły. Jak tylko zobaczył te ogromne zwierzęta mające dwadzieścia sześć piędzi w kłębie, wiedział, że nie są w porządku. Z obrzydzeniem odwrócił się do nich plecami i poszedł prosto do domu inspektora z żądaniem, aby natychmiast je zabić jako odstępstwa od normy.

— Tym razem twoje żądanie jest nie w porządku — wesoło rzekł mu inspektor, rad, że choć raz stoi na twardym gruncie. — Zalegalizował je rząd, tak więc nie podlegają mojej jurysdykcji.

— Nie wierzę — powiedział ojciec. — Bóg nigdy nie stworzył tak wielkich koni. Rząd nie mógł ich zalegalizować.

— Jednak to zrobił — rzekł inspektor. — Co więcej — dodał z satysfakcją — Angus mówi, że dobrze znając sąsiadów, postarał się o ich atestowane rodowody.

— Rząd, który aprobuje takie stwory, jest skorumpowany i niemoralny — oznajmił ojciec.

— Być może — przyznał inspektor — ale zawsze to rząd.

Ojciec spojrzał na niego gniewnie.

— Łatwo zrozumieć, dlaczego niektórzy ludzie je aprobują — powiedział. — Jedno takie zwierzę może wykonać pracę dwóch, a może trzech zwykłych koni, a nie zje nawet tyle co dwa. To dobry zysk i dobry powód, żeby je zalegalizować. Ale to nie oznacza, że są w porządku. Ja twierdzę, że taki koń nie jest jednym z Bożych stworzeń, a jeśli nie jest Jego tworem, to jest odstępstwem i jako takie należy go zlikwidować.

— Oficjalnie stwierdzono, że tę odmianę konia otrzymano w normalny sposób, dobierając duże osobniki rozpłodowe. I stanowczo twierdzę, że nie mają żadnej cechy świadczącej, że coś jest z nimi nie w porządku — zapewnił go inspektor.

— Ktoś tak orzekł, gdy zrozumiał, jaki mogą przynieść zysk. Jest słowo na określenie takiego myślenia — odparł ojciec.

Inspektor wzruszył ramionami.

— To wcale nie oznacza, że one są w porządku — upierał się ojciec. — Tak duży koń nie jest zwykłym koniem — nieoficjalnie wiesz o tym równie dobrze jak ja i nie da się tego ukryć. Gdy raz zezwolimy na takie odstępstwo, nie wiadomo, czym się to skończy. Bogobojna społeczność nie musi zapierać się swojej wiary tylko dlatego, że wywiera na nią presję państwowy urząd patentowy. Wielu z nas tutaj wie, jakie z woli Boga mają być stworzenia, nawet jeśli rząd nie ma o tym pojęcia.

Inspektor się uśmiechnął.

— Tak jak z kotem Dakerów?

Ojciec znów spojrzał na niego gniewnie. Sprawa z kotem Dakerów wciąż mu doskwierała.

Mniej więcej rok wcześniej skądś się dowiedział, że żona Bena Dakera ma w domu kota bez ogona. Przeprowadził śledztwo i kiedy zebrał dowody, że zwierzę nie straciło ogona, ale nigdy go nie miało, potępił je i jako sędzia polecił inspektorowi wydać nakaz likwidacji odstępstwa. Inspektor niechętnie to zrobił, a Dakerowie natychmiast wnieśli apelację. Wszelka zwłoka w tak oczywistej sprawie urągała zasadom ojca, więc osobiście dopilnował unicestwienia kota, zanim sprawa została rozpatrzona. Kiedy później sąd orzekł, że istnieje uznana rasa kota bez ogona o dobrze udokumentowanej historii, znalazł się w niezręcznej sytuacji i stracił autorytet. Ludzie bardzo źle przyjęli to, że nie zrezygnował z urzędu i ograniczył się do publicznych przeprosin.

— Ta sprawa jest o wiele poważniejsza — ostro rzekł inspektorowi.

— Posłuchaj — cierpliwie tłumaczył mu inspektor. — Ten rodzaj konia jest oficjalnie zalegalizowany. A ta para ma wszelkie niezbędne dokumenty. Jeśli to ci nie wystarcza, to możesz je zastrzelić — i zobaczysz, czym się to dla ciebie skończy.

— Twoim moralnym obowiązkiem jest wydanie nakazu likwidacji tych tak zwanych koni — upierał się ojciec.

Inspektor miał już tego dość.

— Jednym z moich obowiązków jest ich obrona przed głupcami i bigotami — warknął.

Ojciec nie uderzył inspektora, ale z pewnością niewiele brakowało. Przez kilka dni kipiał z wściekłości, a w niedzielę usłyszeliśmy płomienne kazanie o tolerowaniu odstępstw kalającym czystość naszej społeczności. Wezwał do powszechnego bojkotu właściciela mutantów, dywagował na temat niemoralności na wysokich szczeblach, napomknął, że można tam oczekiwać bratnich uczuć dla mutantów, i zakończył perorą, w której potępił pewnego urzędnika jako niemoralnego sługusa niemoralnych panów i miejscowego uosobienia sił zła.

Chociaż inspektor nie mógł odpowiedzieć na to z kazalnicy, jego kąśliwe uwagi na temat szykanowania, lekceważenia przepisów, bigoterii, dewocji, zniesławienia oraz możliwych konsekwencji działań antyrządowych rozeszły się szerokim echem.

Jest bardzo prawdopodobne, że ta ostatnia kwestia powstrzymała ojca przed wcieleniem słów w czyn. Miał wystarczająco duże kłopoty z powodu kota Dakerów, który nie przedstawiał większej wartości, ale konie robocze były kosztownymi zwierzętami, a Angus nie zrezygnowałby z ewentualnego odszkodowania...

Z powodu tych zawiedzionych nadziei nasz dom stał się miejscem, w którym lepiej było zbyt długo nie przebywać.

Teraz, gdy w okręgu znów zrobiło się spokojnie i nie nawiedzali go niespodziewani goście, rodzice Sophie znowu pozwolili jej wychodzić z domu, a ja wymykałem się do niej, ilekroć mogłem zrobić to niepostrzeżenie.

Sophie oczywiście nie chodziła do szkoły. Szybko by ją zdemaskowano, nawet gdyby miała lewe zaświadczenie, a jej rodzice wprawdzie uczyli ją czytać i pisać, ale nie mieli żadnych książek, niewiele więc jej to dawało. Właśnie dlatego dużo mówiliśmy – głównie ja do niej – podczas naszych wypraw. Starałem się przekazać jej to, czego uczyłem się z moich podręczników.

Powiedziałem jej, że powszechnie się uważa, iż świat jest bardzo duży i zapewne kulisty. Jego cywilizowany obszar – którego Waknuk jest tylko niewielką częścią – zwie się Labrador. Podobno tak nazwali go Dawni Ludzie, choć nie ma co do tego pewności. Większość Labradoru jest otoczona mnóstwem wody nazywanej morzem, ważnym z powodu ryb. Nikt ze znanych mi ludzi poza wujem Axelem nie widział tego morza, bo jest ono daleko stąd, ale gdybyście przeszli mniej więcej trzysta mil na wschód, na północ lub na północny zachód, to prędzej czy później byście je napotkali. Tylko na południowym zachodzie i na południu go nie było – dotarlibyście tam na Obrzeża, a potem na Pustkowia, gdzie długo byście nie pożyli.

Mówiono także, choć nikt nie był tego pewien, że w czasach Dawnych Ludzi Labrador był mroźną krainą, tak zimną, że nikt nie mógł tu długo mieszkać, więc tylko wywozili stąd drewno i jakieś tajemnicze kopaliny. Jednak działo się to bardzo, bardzo dawno. Tysiąc lat temu? Dwa tysiące? A może więcej? Ludzie zgadywali, ale nikt nie wiedział, jak było naprawdę. Nie wiadomo, ile zdziczałych ludzkich pokoleń żyło pomiędzy czasem Udręki a początkiem znanych nam dziejów. Z tej otchłani barbarzyństwa wyłoniła się jedynie *Skrucha* Nicholsona, a i to tylko dlatego, że nim ją znaleziono, spoczywała — prawdopodobnie przez kilkaset lat — w zamkniętej kamiennej skrzyni. A z czasów Dawnych Ludzi przetrwała tylko Biblia.

Poza tym, co głosiły te dwie księgi, przeszłość odleglejsza niż trzy ostatnie stulecia ginęła w mroku zapomnienia. Z tej pustki wyłaniały się wątki kilku legend, bardzo postrzępione po przejściu przez szereg kolejnych umysłów. To ta długa ustna tradycja nadała naszej krainie nazwę Labrador, bo nie ma o niej wzmianki w Biblii ani w *Skrusze*. I być może mieli rację co do chłodu, aczkolwiek teraz są tu tylko dwa zimne miesiące w roku — można to składać na karb Udręki, tak jak niemal wszystko...

Długo się spierano, czy jakiekolwiek inne części świata poza Labradorem i wielką wyspą Nef są w ogóle zamieszkane. Uważano je wszystkie za Pustkowia, na które spadł cały ciężar Udręki, ale odkryto, że w niektórych miejscach są tam jakieś pasma Obrzeży. Oczywiście były to tereny pełne dewiantów i bezbożników, obecnie więc nie można ich było ucywilizować, lecz jeśli granice Pustkowi przesuwały się tak jak nasze, to pewnego dnia będzie można je skolonizować.

W sumie chyba niewiele wiedziano o świecie, ale przynajmniej był to ciekawszy temat niż etyka, której pewien staruszek uczył naszą klasę w niedzielne popołudnia. Etyka to powody robienia lub nierobienia czegoś. Większość tych powodów pokrywała się z tymi, którymi kierował się ojciec, ale nie wszystkie, co było mylące.

Zgodnie z etyką ludzkość — czyli my z cywilizowanych terenów — przechodziła proces powrotu do łask: podążaliśmy ledwie widoczną i trudną ścieżką wiodącą na wyżyny, z których się stoczyliśmy. Od właściwej ścieżki odchodziło wiele złych, które czasem zdawały się łatwiejsze i atrakcyjniejsze; wszystkie one w rzeczywistości prowadziły na skraje przepaści, za którymi rozpościerała się otchłań wieczności. Była tylko jedna właściwa ścieżka i podążając nią, powinniśmy, z Bożą pomocą i w wybranym przez Niego czasie, odzyskać wszystko, co utraciliśmy. Jednak ścieżka ta była ledwie widoczna, a tak pełna pułapek i pokus, że każdy krok wymagał rozwagi i poleganie jedynie na własnym osądzie było zbyt ryzykowne. Tylko władze, kościelna oraz świecka, mogły osądzić, czy kolejny krok jest ponownym odkryciem właściwej drogi i bezpiecznie można go zrobić, czy też prowadzi na manowce, a więc jest grzeszny.

Kara Udręki zesłanej na ten świat musiała być odcierpiana, długa droga na szczyt ponownie przebyta z wiarą, aby w końcu, jeśli napotkane w trakcie tej wędrówki pokusy zostaną odparte, nagrodą stało się przebaczenie — powrót Złotego Wieku. Takie kary były zsyłane i przedtem: wygnanie z Raju, potop, zarazy, zniszczenie Sodomy i Gomory, niewola egipska. Udręka była jedną z takich kar, ale najcięższą, zapewne połączeniem ich wszystkich. Dlaczego ją zesłano, dotychczas nie ujawniono, lecz sądząc po poprzednich, najprawdopodobniej poprzedził ją okres bezbożnej arogancji.

Większość rozlicznych etycznych nakazów, tez i przykładów sprowadzała się dla nas do stwierdzenia, że obowiązkiem i celem człowieka na tym padole jest nieustanna walka ze złem sprowadzonym na ten świat przez Udrękę. A przede wszystkim powinien on dbać, by ludzka postać wiernie odpowiadała boskiemu wzorcowi, żeby pewnego dnia znów mógł zająć wysoką pozycję przeznaczoną mu jako obrazowi Boga.

Jednak niewiele mówiłem Sophie o tym nakazie etycznym. Raczej nie dlatego, że w myślach uznałem ją za odstępstwo, ale trzeba przyznać, że niezupełnie odpowiadała temu wiernemu obrazowi, wydawało się więc, że taktowniej będzie unikać tego tematu. No i było mnóstwo innych rzeczy, o których mogliśmy rozmawiać.

Rozdział 5

C hyba nikt w Waknuk się nie niepokoił, kiedy znikałem wszystkim z oczu. Tylko gdy kręciłem się w pobliżu, znajdowali dla mnie jakieś pilne prace. Wiosna była pogodna, słoneczna, a jednak wystarczająco deszczowa, żeby farmerzy nie mieli większych powodów do narzekań poza koniecznością pospiesznego wykonania prac przerwanych przez inwazję. Wśród urodzonych tej wiosny zwierząt było bardzo mało odstępstw – z wyjątkiem jagniąt. Uprawy wyglądały tak prawidłowo, że inspektor nakazał spalić tylko jedno pole, należące do Angusa Mortona. Nawet wśród warzyw rzadko zdarzały się dewiacje; jak zwykle, najczęściej występowały u solonaceae. Ogólnie rzecz biorąc, wyglądało na to, że w tym roku padnie rekord czystości, a decyzji o likwidacji wydano tak niewiele, że nawet mój ojciec był wystarczająco zadowolony, by w jednym z kazań ostrożnie oznajmić, że Waknuk w tym roku chyba odparło złe moce — i należy dziękować Opatrzności, że za sprowadzenie wielkich koni został ukarany tylko ich właściciel, a nie cała społeczność.

Ponieważ wszyscy byli zajęci, mogłem wymykać się wcześniej i w te długie letnie dni zapuszczaliśmy się z Sophie dalej niż przedtem, chociaż robiliśmy to ostrożnie i trzymaliśmy się rzadko uczęszczanych ścieżek, żeby nikogo nie spotkać. Sophie wpojono niemal instynktowną ostrożność wobec obcych. Znikała bezszelestnie, niemal zanim jakiś pojawił się w polu widzenia. Spośród dorosłych zaprzyjaźniła się tylko z Corkym, który doglądał maszyny parowej. Wszyscy inni byli zagrożeniem. W górze strumienia odkryliśmy miejsce o kamienistych brzegach. Lubiłem zdejmować buty, podwijać nogawki i brodzić w wodzie, przepatrując rozlewiska i zatoczki. Sophie zwykle siadała na jednym z dużych płaskich głazów na brzegu i obserwowała mnie ze smętną miną. Później zaczęliśmy chodzić tam z dwoma małymi siatkami zrobionymi przez panią Wender oraz dzbanem na połów. Brodziłem w strumieniu, łowiąc żyjące w nim krewetkopodobne stworzonka, a Sophie próbowała łapać je z brzegu. Nie szło jej to najlepiej. Po pewnym czasie zrezygnowała i tylko siedziała, obserwując mnie z zazdrością. Później odważyła się zdjąć bucik i w zadumie spojrzała na swoją bosą stopę. Po chwili ściągnęła drugi. Podwinęła nad kolana nogawki bawełnianych spodni i weszła do strumienia. Zastanawiała się nad czymś, przez warstwę wody przyglądając się swoim stopom na otoczakach.

— Chodź tutaj! — zawołałem do niej po chwili. — Tu jest ich mnóstwo!

Podeszła do mnie roześmiana i podekscytowana.

Kiedy nałapaliśmy dość, usiedliśmy na płaskim głazie, susząc nogi w słońcu.

— Wcale nie są straszne, prawda? — zapytała, krytycznie patrząc na swoje stopy.

— Wcale nie są straszne. Moje wyglądają przy nich niezgrabnie — zapewniłem ją szczerze. Sprawiłem jej tym przyjemność.

Kilka dni później znowu tam poszliśmy. Obok naszych butów postawiliśmy na tym płaskim głazie dzban i gdy zaczęliśmy łowić, od czasu do czasu skrzętnie znosiliśmy do niego połów. Zapomnieliśmy o całym świecie, aż usłyszeliśmy głos:

— Hej tam, David!

Rozejrzałem się, zdając sobie sprawę, że Sophie, zdrętwiała, stoi za mną.

Chłopak, który do mnie wołał, stał na brzegu, tuż przy głazie, na którym leżały nasze rzeczy. Znałem go. Alan, syn Johna Ervina, kowala, był prawie dwa lata starszy ode mnie. Nie straciłem głowy.

— Och, cześć, Alan — powiedziałem niezachęcająco.

Podszedłem do głazu i wziąłem buty Sophie.

— Łap! — zawołałem i rzuciłem je jej.

Złapała jeden, a drugi wpadł do wody, ale zaraz go wyłowiła.

— Co robicie? — zapytał Alan.

Powiedziałem mu, że łapiemy krewetkopodobne stworzonka.

Mówiąc to, z udawaną beztroską wyszedłem z wody na skałę. Nie przepadałem za Alanem, a teraz tym bardziej nie pragnąłem jego towarzystwa.

— Nie nadają się do jedzenia. Powinniście łapać ryby — rzekł pogardliwie.

Skupił uwagę na Sophie, która z bucikami w ręku wychodziła na brzeg kilka jardów dalej.

— Kto to? — spytał.

Zwlekałem z odpowiedzią, wkładając buty. Sophie już znikła w zaroślach.

— Kto to? — zapytał ponownie. — Ona nie jest jedną z…

Nagle urwał. Spojrzałem i zobaczyłem, że gapi się na coś obok mnie. Pospiesznie się obróciłem. Na płaskim głazie widniał wilgotny ślad stopy. Sophie stanęła tam, kiedy nachyliła się, żeby wrzucić połów do dzbana. Ślad jeszcze nie wysechł i wyraźnie było widać, że pozostawiła go stopa o sześciu palcach. Kopnąłem dzban. Kaskada wody z miotającymi się w niej krewetkami spłynęła po skale, zacierając ślad, ale miałem okropne przeczucie, że zło już się stało.

— Ha! — zawołał Alan. W oczach miał błysk, który mi się nie podobał. — Kim ona jest? — spytał znowu.

— To moja przyjaciółka — odparłem.

— Jak się nazywa?

Nie odpowiedziałem.

— Cóż, wkrótce i tak się dowiem — rzekł z uśmiechem.

— To nie twoja sprawa — powiedziałem mu.

Nie zwrócił na to uwagi; odwrócił się i stał, patrząc tam, gdzie Sophie znikła w zaroślach.

Wskoczyłem na głaz i rzuciłem się na niego. Był większy ode mnie, ale zaskoczyłem go i runęliśmy na ziemię w plątaninie rąk i nóg. Cała moja umiejętność walki ograniczała się do tego, co wyniosłem z kilku zaciętych bójek. Po prostu uderzałem z furią, ze wszystkich sił. Chciałem zyskać kilka minut, żeby Sophie zdążyła włożyć buty i się ukryć; wiedziałem z doświadczenia, że wtedy nigdy jej nie znajdzie. Otrząsnął się z zaskoczenia i zadał mi kilka ciosów w twarz, po których zapomniałem o Sophie i zacząłem zębami i pazurami walczyć na własny rachunek.

Tarzaliśmy się po skrawku trawy. Wciąż uderzałem i szarpałem go zawzięcie, ale większy ciężar ciała dawał mu przewagę. Nabrał pewności siebie, a ja ją straciłem. Coś jednak zyskałem: nie pozwoliłem mu natychmiast ruszyć za Sophie. Stopniowo zdobył przewagę i w końcu usiadł na mnie, przyciskając do ziemi i okładając pięściami. Wierzgałem i szamotałem się, ale niewiele mogłem zrobić, jedynie unieść ręce, żeby zasłonić głowę. Nagle usłyszałem jęk bólu i przestał mnie bić. Osunął się na mnie.

Zrzuciłem go z siebie, usiadłem i ujrzałem Sophie, stojącą nad nami z dużym kamieniem w ręku.

— Uderzyłam go — oznajmiła dumnie i z lekkim zdziwieniem. — Myślisz, że nie żyje?

Rzeczywiście go uderzyła. Leżał blady i nieruchomy, z krwią spływającą po policzku, ale oddychał miarowo, więc z pewnością nie był martwy.

— O rany — powiedziała Sophie, nagle ochłonąwszy, i upuściła kamień.

Popatrzyliśmy na Alana, a potem na siebie. Myślę, że oboje chcieliśmy mu jakoś pomóc, ale baliśmy się go dotknąć.

„Nikt inny nie może się o tym dowiedzieć. Nikt!", stanowczo zażądała kiedyś pani Wender. A teraz ten chłopak się dowiedział. To nas przeraziło.

Wstałem. Wziąłem Sophie za rękę i odciągnąłem ją od leżącego.

— Chodź — rzuciłem nagląco.

John Wender słuchał uważnie i cierpliwie, kiedy mu o tym opowiadaliśmy.

— Jesteście pewni, że to zobaczył? Nie był tylko zaciekawiony, ponieważ nie znał Sophie? — zapytał w końcu.

— Nie — odrzekłem. — Zobaczył ślad jej stopy i dlatego chciał ją złapać.

Ojciec Sophie pokiwał głową.

— Rozumiem — rzekł i zaskoczył mnie spokój, z jakim to powiedział.

Przyglądał się nam bacznie. Sophie z przestrachu i podniecenia miała szeroko otwarte oczy. Moje zapewne miały różowe obwódki, a pod nimi brudne smugi. Odwrócił głowę i napotkał spojrzenie żony.

— Obawiam się, że spełniły się nasze obawy, moja droga. Stało się — rzekł.

— Och, Johnny... — Pani Wender była blada i przygnębiona.

— Przykro mi, Martie, ale wiesz, że tak. Wiedzieliśmy, że to się stanie, prędzej czy później. Dzięki Bogu, że zdarzyło się, gdy tu jestem. Kiedy będziesz gotowa?

— Niedługo, Johnny. Zawsze mam wszystko prawie przygotowane.

— Dobrze. Zatem szykujmy się.

Wstał i obszedł stół. Objął żonę, pochylił głowę i pocałował ją. Miała łzy w oczach.

— Och, Johnny, mój drogi. Dlaczego jesteś dla mnie taki dobry, skoro dałam ci tylko...

Zamknął jej usta następnym pocałunkiem.

Przez chwilę patrzyli sobie w oczy, a potem bez słowa oboje odwrócili się i spojrzeli na Sophie.

Pani Wender znów stała się sobą. Raźnie podeszła do kredensu, wyjęła kilka produktów i postawiła je na stole.

— Najpierw się umyjcie, brudasy — poleciła nam. — Potem zjedzcie to. Co do okruszka.

Myjąc się, zadałem pytanie, które często miewałem ochotę zadać.

— Pani Wender, jeśli to tylko kwestia palców u nóg Sophie, to czy nie można ich było obciąć, kiedy była mała? Zapewne wtedy to bardzo by ją nie bolało i nikt nie musiałby o tym wiedzieć.

— Zostałyby ślady, Davidzie. Gdyby ludzie je zobaczyli, wiedzieliby po czym. A teraz pospiesz się i zjedz kolację — poleciła i pospiesznie przeszła do drugiego pokoju.

— Odejdziemy — powiedziała mi w końcu Sophie, z ustami pełnymi pasztecika.

— Odejdziecie? — powtórzyłem tępo.

Kiwnęła głową.

— Mamusia mówiła, że będziemy musieli stąd odejść, jeśli ktoś się kiedyś o tym dowie. Już prawie to zrobiliśmy, kiedy ty to zobaczyłeś.

— Przecież... chcesz powiedzieć, że zaraz? I nigdy nie wrócicie? — zapytałem z przerażeniem.

— Tak, tak myślę.

Byłem głodny, ale nagle straciłem apetyt. Siedziałem i rozgrzebywałem jedzenie na talerzu. Dobiegające z głębi domu odgłosy krzątaniny i pakowania nabrały złowieszczego sensu. Spojrzałem na siedzącą po drugiej stronie stołu Sophie. W gardle miałem grudę, której nie mogłem przełknąć.

— Dokąd? — spytałem zmartwiony.

— Nie wiem, ale daleko stąd — odpowiedziała.

Siedzieliśmy. Sophie trajkotała pomiędzy kęsami; ja przez tę grudę w gardle nie mogłem niczego przełknąć. Nagle wszystko poszarzało, aż po horyzont i jeszcze dalej. Wiedziałem, że już nigdy nie będzie tak, jak było. Przytłoczyła mnie perspektywa takiej samotności. Z trudem powstrzymywałem łzy.

Pani Wender przyniosła kilka tobołków i pakunków. Patrzyłem ponuro, jak stawia je przy drzwiach i idzie po następne. Pan Wender przyszedł i wyniósł kilka z nich na podwórze. Pani Wender znów się pojawiła i zabrała Sophie do sąsiedniego pokoju. Gdy pan Wender przyszedł po kolejne pakunki, wyszedłem za nim z domu.

Ich dwa konie, Spot i Sandy, cierpliwie czekały. Niektóre bagaże miały już przytroczone na grzbietach. Zdziwiłem się, nie widząc wozu, i powiedziałem to.

John Wender pokręcił głową.

— Jadąc wozem trzeba się trzymać traktu, a z jucznymi końmi idziesz, gdzie chcesz — wyjaśnił mi.

Patrzyłem, jak troczy kolejne pakunki, i zbierałem się na odwagę.

— Panie Wender — odezwałem się w końcu — czy mogę iść z wami? Proszę...

Przerwał pracę i odwrócił się, żeby na mnie spojrzeć. Przez chwilę patrzyliśmy na siebie, po czym powoli, z ubolewaniem, przecząco pokręcił głową. Widocznie zauważył cisnące mi się do oczu łzy, bo położył dłoń na moim ramieniu i trzymał ją tam.

— Wejdź do środka, Davie — rzekł, prowadząc mnie z powrotem do domu.

Pani Wender znów była w salonie i stała na środku, rozglądając się, jakby sprawdzała, czy czegoś nie zapomnieli.

— On chce iść z nami, Martie — powiedział pan Wender.

Usiadła na stołku i wyciągnęła do mnie ręce. Podszedłem do niej, nie mogąc wykrztusić słowa. Patrząc nad moją głową, rzekła:

— Och, Johnny. Ten jego okropny ojciec! Boję się o niego.

Stojąc tak blisko niej, czytałem jej myśli. Nadlatywały szybciej niż słowa, ale łatwiej je było zrozumieć. Wiedziałem, co czuje, że szczerze pragnie, abym mógł pójść z nimi, ale zaraz, nie dociekając powodów, zrozumiała, że nie mogę i nie powinienem tego robić. Znałem odpowiedź, nim John Wender ujął ją w słowa i wypowiedział pierwsze zdanie:

— Wiem, Martie. Jednak boję się o Sophie — i o ciebie. Gdyby nas schwytali, oskarżyliby nas o porwanie, a nie tylko o ukrywanie...

— Gdyby zabrali Sophie, to nie mogłoby mnie już spotkać nic gorszego, Johnny.

— Nie tylko w tym rzecz, moja droga. Kiedy się upewnią, że nie ma nas w tym okręgu, nie będziemy już ich problemem i przestaniemy ich obchodzić. Gdyby jednak Strorm stracił syna, podniósłby się rwetes w promieniu wielu mil i wątpię, czy zdołalibyśmy uciec. Wszędzie rozesłaliby ludzi, żeby nas szukali. Ze względu na Sophie nie możemy tego ryzykować, prawda?

Pani Wender milczała. Czułem, jak dopasowuje argumenty męża do tego, co już wiedziała. W końcu objęła mnie mocniej.

— Rozumiesz to, prawda, Davidzie? Gdybyś poszedł z nami, twój ojciec tak by się rozgniewał, że mielibyśmy znacznie mniejsze szanse wywieźć stąd Sophie. Chciałabym cię zabrać, ale dla dobra Sophie nie odważymy się tego zrobić. Proszę, przyjmij to dzielnie, Davidzie. Jesteś jej jedynym przyjacielem i w ten sposób możesz jej pomóc. Zrobisz to, prawda?

Te słowa były słabym echem jej myśli, które już wychwyciłem i zaakceptowałem nieuchronną decyzję. Nie ufałem swemu głosowi. Niemo kiwnąłem głową i pozwoliłem, by przytuliła mnie tak, jak nigdy nie tuliła mnie matka.

Zakończyli pakowanie tuż przed zmierzchem. Gdy wszystko było gotowe, pan Wender odprowadził mnie na bok.

— Davie — rzekł jak mężczyzna do mężczyzny — wiem, że bardzo lubisz Sophie. Broniłeś jej jak bohater, ale teraz możesz zrobić dla niej coś jeszcze. Zrobisz to?

— Tak — powiedziałem mu. — Co takiego, panie Wender?

— Już mówię. Kiedy odejdziemy, nie wracaj od razu do domu. Możesz tu zostać do jutra rana? To da nam więcej czasu, żeby zabrać ją w bezpieczne miejsce. Zrobisz to?

— Tak — odparłem stanowczo.

Uścisnęliśmy sobie dłonie. Poczułem się przez to silniejszy i odpowiedzialniejszy — jak tamtego pierwszego dnia, gdy skręciła nogę w kostce.

Kiedy wróciliśmy, Sophie wyciągnęła do mnie rękę, w której coś ukrywała.

— To dla ciebie, Davidzie — powiedziała, dając mi to.

Spojrzałem. Kosmyk kręconych ciemnoblond włosów związany żółtą wstążeczką. Wciąż się nań gapiłem, gdy zarzuciła mi ręce na szyję i pocałowała, z większą determinacją niż wprawą. Ojciec podniósł ją i posadził na stercie bagaży na grzbiecie pierwszego konia.

Pani Wender nachyliła się, żeby też mnie pocałować.

— Żegnaj, Davidzie, kochany. — Delikatnie dotknęła wskazującym palcem mojego posiniaczonego policzka. — Nigdy nie zapomnimy — powiedziała, a jej oczy błyszczały.

Ruszyli. John Wender prowadził konie, na ramieniu miał strzelbę, a lewą ręką trzymał dłoń żony. Na skraju lasu przystanęli i odwrócili się, żeby mi pomachać. Odpowiedziałem tym samym. Sophie machała do mnie, dopóki nie pochłonął ich zalegający pod drzewami mrok.

Gdy dotarłem do domu, słońce stało wysoko na niebie i ludzie już od dawna pracowali na polach. Na podwórzu nie było nikogo, ale kuc inspektora stał uwiązany do słupka, domyśliłem się więc, że ojciec jest w domu.

Liczyłem na to, że byłem poza domem dostatecznie długo. Miałem za sobą ciężką noc. Wyszedłem jej naprzeciw z determinacją, lecz moja odwaga trochę osłabła z nadejściem ciemności. Nigdy przedtem nie spędziłem nocy poza domem, poza moim pokojem. W nim wszystko było znajome, pusty dom Wenderów wydawał się zaś pełen dziwnych odgłosów. Znalazłem i zapaliłem kilka świec, a gdy rozpaliłem ogień na kominku i dołożyłem drewna do ognia, poczułem się mniej samotny — ale tylko trochę. W środku i na zewnątrz domu nadal było słychać dziwne dźwięki.

Przez długi czas siedziałem na stołku oparty plecami o ścianę, żeby nic nie mogło się do mnie zbliżyć niepostrzeżenie. Kilkakrotnie niemal opuściła mnie odwaga. Nie mogłem się doczekać, żeby stamtąd uciec. Lubię myśleć, że powstrzymała mnie obietnica, którą złożyłem, i troska o bezpieczeństwo Sophie, ale pamiętam też, jak nieprzenikniony był mrok na zewnątrz, jak pełna niewytłumaczalnych dźwięków była ta ciemność. Noc zapowiadała się na długi ciąg koszmarów, ale nic się nie stało. Dźwięku ukradkowych kroków nie zwieńczyła niczyja wizyta, postukiwania nie były wstępem do niczego, tak samo jak sporadyczne szuranie. Tych odgłosów nie potrafiłem wytłumaczyć, ale na szczęście nie towarzyszyły im żadne niesamowite zdarzenia, po pewnym czasie zacząłem się więc kiwać na stołku, a powieki same mi opadały. Zebrałem odwagę i ośmieliłem się bardzo ostrożnie przejść przez pokój do łóżka. Wgramoliłem się na nie i z ulgą znów oparłem się plecami o ścianę. Przez jakiś czas leżałem, obserwując świece oraz ruchome cienie rzucane przez nie w rogach pokoju i rozmyślając, co zrobię, kiedy znikną, gdy nagle rzeczywiście znikły — a słońce zaglądało do pokoju...

W domu Wenderów znalazłem trochę chleba i zjadłem go na śniadanie, ale nim dotarłem do domu, znowu zgłodniałem. To jednak mogło poczekać. Najpierw zamierzałem niepostrzeżenie dostać się do mojego pokoju, mając nikłą nadzieję, że nie zauważono mojej nieobecności i będę mógł udać, że po prostu zaspałem. Jednak miałem pecha: gdy przemykałem przez podwórze, Mary zauważyła mnie z okna kuchni.

— Chodź tu natychmiast! — zawołała. — Wszyscy cię szukali. Gdzie byłeś? — I nie czekając na odpowiedź, dodała: — Ojciec się wścieka. Lepiej idź do niego, nim rozgniewa się jeszcze bardziej.

Ojciec i inspektor byli w rzadko uczęszczanym pokoju stołowym od frontu. Najwyraźniej przyszedłem w krytycznym momencie. Inspektor wyglądał prawie tak jak zwykle, ale ojciec był wzburzony.

— Chodź tu! — warknął, gdy tylko pojawiłem się w drzwiach.

Niechętnie podszedłem.

— Gdzie się podziewałeś? — zapytał. — Nie było cię całą noc. Gdzie byłeś?

Nie odpowiedziałem.

Zarzucił mnie pytaniami. Gdy nie odpowiadałem, z każdą chwilą wyglądał groźniej.

— Podejdź tu zaraz! Upór wcale ci nie pomoże! Kim jest to dziecko — to bluźnierstwo — z którym byłeś wczoraj?! — wrzasnął.

Ciągle milczałem. Przeszywał mnie wzrokiem. Nigdy nie widziałem go tak rozgniewanego. Mdliło mnie ze strachu.

Wtedy interweniował inspektor. Cichym, spokojnym głosem powiedział do mnie:

— Wiesz, Davidzie, ukrywanie bluźnierstwa, niezgłaszanie ludzkiej dewiacji, to bardzo, bardzo poważna przewina. Ludzie idą za to do więzienia. Każdy ma obowiązek powiadamiać mnie o wszelkich odstępstwach, nawet jeśli nie jest ich pewien, żebym mógł podjąć decyzję. A w tej sprawie najwidoczniej nie ma żadnych wątpliwości — chyba że młody Ervin się pomylił. On twierdzi, że dziecko, z którym byłeś, ma sześć palców. Czy to prawda?

— Nie — powiedziałem mu.

— On kłamie — rzekł mój ojciec.

— Rozumiem — spokojnie powiedział inspektor. — Cóż, skoro to nieprawda, to nic się nie stanie, jeśli się dowiemy, kto to jest — zauważył rozsądnie.

Nic nie powiedziałem. Wydawało się, że tak będzie najbezpieczniej. Patrzyliśmy na siebie.

— Chyba to rozumiesz? Jeśli to nieprawda... — próbował perswadować, ale ojciec mu przerwał:

— Ja się tym zajmę. Chłopak kłamie. — A do mnie powiedział: — Idź do swojego pokoju.

Zawahałem się. Dobrze wiedziałem, co to oznacza, ale wiedziałem także, że kiedy ojciec jest w takim nastroju, to stanie się to, czy powiem, czy nie. Zacisnąłem zęby i odwróciłem się, by odejść. Ojciec ruszył za mną, po drodze biorąc ze stołu bat.

— To mój bat — rzucił inspektor.

Ojciec jakby tego nie usłyszał. Inspektor wstał.

— Powiedziałem, że to mój bat — powtórzył ostrym, złowrogim głosem.

Ojciec przystanął. Gniewnym ruchem rzucił bat na stół. Przeszył inspektora wzrokiem, a potem odwrócił się i poszedł za mną.

Nie wiem, gdzie się podziała matka, pewnie bała się mojego ojca. To Mary przyszła do mnie i wydawała uspokajające pomruki, opatrując mi plecy. Popłakiwała, pomagając mi się położyć, a potem wmusiła we mnie kilka łyżek bulionu. Starałem się być przy niej dzielny, lecz kiedy poszła, zmoczyłem łzami poduszkę. Teraz już nie z powodu fizycznego cierpienia, ale z goryczy, pogardy dla siebie i upokorzenia. Udręczony i obolały ściskałem w dłoni żółtą wstążkę i kosmyk ciemnoblond włosów.

— Nie mogłem tego wytrzymać, Sophie — łkałem. — Nie mogłem wytrzymać.

Rozdział 6

W ieczorem, gdy się uspokoiłem, okazało się, że Rosalind chce ze mną porozmawiać. Kilkoro innych też niespokojnie pytało, co się dzieje. Opowiedziałem im o Sophie. Teraz przestało to już być tajemnicą. Wyczułem, że są zaszokowani. Próbowałem im wytłumaczyć, że osoba z dewiacją — a przynajmniej tak niewielką — nie jest potwornością, jak to nam mówiono. Tak naprawdę nie różni się od innych — przynajmniej tak było z Sophie.

Przyjęli to z głębokim powątpiewaniem. Wszystko, czego nas uczono, nie pozwalało im tego zaakceptować, chociaż doskonale wiedzieli, że to, o czym im mówię, dla mnie jest prawdą. Bez powodzenia zmagali się z nową dla nich koncepcją, że dewiacja może nie być odrażająca i zła. W tej sytuacji nie mogli mnie pocieszyć, nie żałowałem więc, gdy ostatnie z nich zerwało kontakt. Wiedziałem, że zasnęli.

Ja też byłem zmęczony, ale sen długo nie przychodził. Leżałem, wyobrażając sobie Sophie jadącą z rodzicami na południe ku wątpliwemu bezpieczeństwu Obrzeży i miałem rozpaczliwą nadzieję, że są już dostatecznie daleko, by nie zaszkodziła im moja zdrada.

A potem, kiedy sen w końcu przyszedł, był pełen majaków. Widziałem korowód twarzy i ludzi, i różne obrazy. W jednym z nich znów wszyscy staliśmy na podwórzu, a mój ojciec likwidował odstępstwo, którym była Sophie, i zbudził mnie mój głos — krzyczałem na niego, żeby tego nie robił. Bałem się znów zasnąć, lecz mimo to zasnąłem i tym razem sen był zupełnie inny. Znów ujrzałem w nim to wielkie miasto nad morzem, z domami i ulicami, i tymi latającymi wysoko rzeczami. Od lat już mi się ono nie śniło, ale wciąż wyglądało tak samo i w jakiś dziwny sposób mnie to uspokoiło.

Rano zajrzała do mnie matka, ale odnosiła się do mnie chłodno i z dystansem. Mary zajęła się mną i zdecydowała, że tego dnia powinienem zostać w łóżku. Miałem leżeć na brzuchu i nie wiercić się, żeby moje plecy szybciej się wygoiły. Posłusznie wykonałem jej polecenie, bo tak z pewnością było mi wygodniej. Tak więc leżałem tam i rozmyślałem, jakie powinienem poczynić przygotowania do ucieczki, kiedy wydobrzeję i wstanę z łóżka. Zdecydowałem, że lepiej będzie jechać konno, więc przez większość poranka układałem plan kradzieży konia i dotarcia na Obrzeża.

Po południu zajrzał do mnie inspektor. Przyniósł torebkę maślanych ciasteczek. Przez moment zastanawiałem się, czy spróbować — dyskretnie, rzecz jasna — dowiedzieć się od niego czegoś o prawdziwej naturze Obrzeży, bo jako ekspert od dewiacji mógł wiedzieć o nich więcej niż ktokolwiek inny. Po namyśle jednak zdecydowałem, że byłoby to nieroztropne.

Był dość współczujący i miły, ale przyszedł służbowo. W przyjacielski sposób próbował coś ze mnie wyciągnąć. Pogryzając jedno ze swoich ciasteczek, zapytał:

— Jak długo znałeś to dziecko Wenderów... nawiasem mówiąc, jak ona ma na imię?

Powiedziałem mu, bo teraz nie mogło już jej to zaszkodzić.

— Od jak dawna wiedziałeś, że Sophie ma dewiację?

Uznałem, że nie pogorszę sytuacji, jeśli powiem mu prawdę.

— Od dość dawna — przyznałem.

— Czyli jak długo?

— Myślę, że jakieś sześć miesięcy — powiedziałem.

Uniósł brwi i zrobił poważną minę.

— To niedobrze, wiesz — rzekł. — Nazywa się to pomocą w ukrywaniu. Musiałeś wiedzieć, że źle robisz, prawda?

Spuściłem oczy. Wierciłem się niespokojnie pod jego bacznym spojrzeniem, ale zaraz przestałem, bo zabolały mnie plecy.

— To jakoś nie wyglądało jak te rzeczy, o których mówią w kościele — spróbowałem wyjaśnić. — Poza tym to były bardzo małe paluszki.

Inspektor wziął następne ciasteczko i podsunął mi z powrotem torebkę.

— „A każda stopa będzie miała pięć palców" — zacytował. — Pamiętasz o tym?

— Tak — przyznałem ze smutkiem.

— Cóż, wszystkie części tej definicji są jednakowo ważne i jeśli jakieś dziecko jej nie spełnia, to nie jest człowiekiem, co oznacza, że nie ma duszy. Nie jest obrazem Boga, jest Jego imitacją, a w każdej imitacji zawsze tkwi jakiś błąd. Tylko Bóg tworzy doskonałość, więc dewianci w istocie nie są ludźmi, choć pod wieloma względami mogą się nimi wydawać. Są czymś zupełnie innym.

Zastanowiłem się nad tym.

— Ale Sophie nie jest wcale inna... pod żadnym innym względem — powiedziałem.

— Łatwiej ci przyjedzie to zrozumieć, gdy będziesz starszy, ale znasz definicję i musiałeś wiedzieć, że Sophie jej nie spełnia. Dlaczego nie powiedziałeś o niej ojcu albo mnie?

Opowiedziałem mu mój sen o tym, że ojciec potraktował Sophie jak któreś z odstępstw na farmie. Inspektor przez moment spoglądał na mnie w zadumie, po czym skinął głową.

— Rozumiem — rzekł. — Jednak bluźnierstwa nie są traktowane tak samo jak odstępstwa.

— A co się z nimi robi? — spytałem.

Nie odpowiedział.

— Wiesz — ciągnął — że moim obowiązkiem jest podać w raporcie twoje nazwisko. Skoro jednak twój ojciec już podjął pewne działania, nie muszę o tobie wspominać. Mimo wszystko to bardzo poważna sprawa. Diabeł śle między nas swoje dewiacje, żeby nas osłabić i pokusami odwieść od czystości. Czasem jest tak sprytny, że tworzy prawie doskonałe imitacje, dlatego zawsze musimy wypatrywać błędu, jaki popełnił, choć najmniejszego, a gdy go zauważymy, musimy natychmiast o nim zameldować. Będziesz o tym pamiętał, prawda?

Unikałem jego wzroku. Inspektor był inspektorem i ważną osobą; pomimo wszystko nie wierzyłem, by to diabeł zesłał Sophie. Trudno mi było uwierzyć, że jeden paluszek przy obu jej stopach może robić tak wielką różnicę.

— Sophie jest moją przyjaciółką — powiedziałem. — Moją najlepszą przyjaciółką.

Inspektor wciąż na mnie patrzył. W końu pokręcił głową i westchnął.

— Lojalność jest wielką cnotą, ale czasem bywa źle ulokowana. Pewnego dnia zrozumiesz znaczenie jej szerszego pojmowania. Czystość rasy...

Przerwał, gdy otworzyły się drzwi. Wszedł mój ojciec.

— Złapali ich, wszystkich troje — powiedział do inspektora i spojrzał na mnie z obrzydzeniem.

Inspektor natychmiast wstał i wyszli razem na zewnątrz. Patrzyłem na zamknięte drzwi. Dygotałem w męce samopotępienia. Słyszałem swoje ciche jęki i łzy spływały mi po policzkach. Próbowałem je powstrzymać, ale nie mogłem. Zapomniałem o obolałych plecach. Udręka wywołana wiadomością przyniesioną przez ojca była o wiele boleśniejsza. Serce ścisnęło mi się w piersi i zaparło mi dech.

W końcu drzwi znów się otwarły. Stałem twarzą do ściany. Za plecami usłyszałem kroki. Ktoś położył mi dłoń na ramieniu. Inspektor powiedział:

— To nie tak jak myślisz, kolego. Nie miałeś z tym nic wspólnego. Patrol zgarnął ich zupełnie przypadkowo dwadzieścia mil stąd.

Parę dni później powiedziałem wujkowi Axelowi:

— Zamierzam stąd uciec.

Przerwał pracę i z namysłem spojrzał na piłę.

— Nie robiłbym tego — poradził mi. — Zazwyczaj niezbyt się to udaje. Ponadto — dodał po chwili — dokąd byś uciekł?

— Właśnie o to chcę cię zapytać — wyjaśniłem.

Pokręcił głową.

— W każdym okręgu zechcą zobaczyć twój certyfikat normalności — rzekł. — A wtedy dowiedzą się, kim jesteś i skąd przybyłeś.

— Nie na Obrzeżach — przypomniałem.

Spojrzał na mnie zdziwiony.

— Człowieku, chyba nie chcesz wyruszyć na Obrzeża. Przecież oni tam niczego nie mają — nawet dość pożywienia. Większość z nich przymiera głodem i dlatego na nas napadają. Cały czas tylko starałbyś się pozostać przy życiu i miałbyś szczęście, gdyby ci się to udało.

— Przecież muszą być jakieś inne miejsca — powiedziałem.

— Tylko gdybyś znalazł jakiś statek, który by cię zabrał,

a nawet wtedy... — Znów pokręcił głową. — Wiem z doświadczenia, że jeśli uciekasz od czegoś, co ci się nie podoba, to nie spodoba ci się także to, co znajdziesz. Wprawdzie ucieczka dokądś to co innego, ale dokąd chciałbyś uciec? Wierz mi, tu jest o wiele lepiej niż w większości miejsc. Nie, jestem temu przeciwny, Davie. Za kilka lat, kiedy staniesz się mężczyzną i będziesz samodzielny, może się to zmieni. Uważam, że do tego czasu powinieneś zostać tutaj; to lepsze, niż gdyby mieli cię złapać i sprowadzić z powrotem.

Coś w tym było. Zaczynałem pojmować, co oznacza słowo „upokorzenie", i w tym momencie nie chciałem kolejnego. Jednak z tego, co powiedział, wynikało, że nawet później niełatwo będzie znaleźć odpowiedź na pytanie, dokąd uciec. Wyglądało na to, że dobrze byłoby najpierw dowiedzieć się jak najwięcej o świecie poza Labradorem. Zapytałem go, jaki jest ten świat.

— Bezbożny — powiedział mi. — Naprawdę bardzo bezbożny.

Była to jedna z tych niczego nie mówiących odpowiedzi, jakich udzielał mój ojciec. Byłem rozczarowany, słysząc ją od Axela, i powiedziałem mu to. Uśmiechnął się.

— W porządku, Davie, masz rację. Opowiem ci to i owo, jeśli nie będziesz tego rozpowiadał.

— Czy to tajemnica? — spytałem, zaskoczony.

— Niezupełnie — odrzekł. — Lecz kiedy ludzie przywykli wierzyć, że coś jest takie, a nie inne, a kaznodzieje chcą, by wierzyli, że tak jest naprawdę, nie wzbudzisz ich wdzięczności, lecz gniew, jeśli to podważysz. Żeglarze szybko odkryli to w Rigo, dlatego teraz przeważnie rozmawiają o tym tylko między sobą. Jeśli reszta ludzi chce uważać, że niemal wszędzie wokół są Pustkowia, pozwalają im tak myśleć; to niczego nie zmienia, a pozwala spokojnie żyć.

— W mojej książce jest napisane, że wszędzie wokół są Pustkowia albo jałowe Obrzeża — powiedziałem.

— Są inne książki, które temu przeczą, ale nie znajdziesz ich wiele — nawet w Rigo, nie mówiąc już o naszym leśnym odludziu — odparł. — I pamiętaj, że nie należy także wierzyć we wszystko, co mówią żeglarze — bo często nie wiadomo, czy rozmawiają o tym samym miejscu, czy nie, nawet jeśli myślą, że tak. Kiedy jednak sam je zobaczysz, zrozumiesz, że świat jest o wiele dziwniejszy, niż się wydaje z Waknuk. Zatrzymasz to dla siebie?

Zapewniłem go, że tak.

— W porządku. No cóż, zatem droga... — zaczął.

Aby dotrzeć do reszty świata (jak wyjaśnił wuj Axel), trzeba popłynąć w dół rzeki z Rigo, aż się dotrze do morza. Powiadają, że nie należy żeglować dalej prosto na wschód, ponieważ morze albo jest tam bezkresne, albo kończy się niespodziewanie i można przepłynąć za krawędź. Nikt nie wie, jak jest naprawdę.

Jeśli popłyniesz na północ wzdłuż brzegu, trzymając się go również dalej, gdy wygina się na zachód, a potem na południe, dotrzesz na drugą stronę Labradoru. Albo, jeśli obierzesz kurs prosto na północ, dopłyniesz do zimniejszych okolic, gdzie jest bardzo dużo wysp zamieszkanych tylko przez ptaki i morskie stworzenia.

Mówią, że na północnym wschodzie jest ogromny ląd, na którym rośliny nie ulegają dewiacji, a zwierzęta i ludzie nie wyglądają na mutantów, ale kobiety są bardzo wysokie i silne. To one władają tym krajem i wykonują wszelkie prace. Trzymają swoich mężczyzn w klatkach, dopóki nie ukończą dwudziestu czterech lat, a potem ich zjadają. Pożerają także marynarzy z rozbitych statków. Ponieważ jednak nikt jeszcze nie spotkał kogoś, kto by naprawdę tam był i uciekł, trudno powiedzieć, skąd to wiadomo. Jednak tak się mówi, gdyż jeszcze nikt stamtąd nie wrócił, żeby temu zaprzeczyć.

Jedyna znana mi droga wiedzie na południe — i przebyłem ją trzy razy. Aby się tam dostać, musisz dotrzeć rzeką do morza, a potem cały czas mieć brzeg na sterburcie. Po pokonaniu paruset mil dopłyniesz do cieśniny Nef. Gdy się ona rozszerza, musisz mieć brzeg z bakburty i zawinąć do Lark po słodką wodę, a także prowiant, jeśli mieszkańcy Lark zechcą ci jakiś dostarczyć. Potem przez pewien czas kierujesz się na południowy wschód, a później na południe, i znów masz ląd od sterburty. Gdy do niego dobijesz, przekonasz się, że to Pustkowia, a przynajmniej bardzo jałowe Obrzeża. Jest tam mnóstwo roślin, ale płynąc blisko brzegu, zobaczysz, że niemal wszystkie uległy dewiacji. Są tam też zwierzęta i większość z nich jest niepodobna do żadnych znanych nam stworzeń, tak że trudno je uznać za odchylenia od normy.

Po dwóch lub trzech dniach dalszej żeglugi zaczyna się jałowe wybrzeże. Niebawem wpływasz do wielkiej zatoki, wzdłuż której nieprzerwanie ciągną się Pustkowia.

Gdy żeglarze po raz pierwszy ujrzeli te tereny, byli przerażeni. Czuli, że pozostawili za sobą wszelką czystość i odpływają coraz dalej od Boga, który nie będzie mógł im tu pomóc. Każdy wie, że jeśli wejdziesz na Pustkowia, to umrzesz, i żaden z nich nie spodziewał się ich zobaczyć z tak bliska na własne oczy. Jednak najbardziej niepokoiło ich – a także ludzi, z którymi rozmawiali po powrocie – że swobodnie żyją tam sobie stwory, których istnienie jest sprzeczne z prawami natury i wolą Boga.

I w pierwszej chwili musiał to być szokujący widok. Rosły tam ogromne, zniekształcone kłosy zbóż wyższych niż małe drzewa; bytujące na skałach wielkie saprofity, które tworzyły kilkujardowe wstęgi niczym pasma włosów powiewające na wietrze; gdzieniegdzie kolonie grzybów na pierwszy rzut oka wyglądających jak wielkie białe głazy; beczułkowate sukulenty wielkości domków i o dziesięciostopowych kolcach. Były tam rośliny, które rosną na klifach i spuszczają do morza grube zielone pędy długości stu i więcej stóp, tak że zastanawiasz się, czy to roślina lądowa czerpiąca słoną wodę, czy morska, która jakoś wspięła się na brzeg. Są tam setki dziwacznych rzeczy, a wśród nich niewiele normalnych — istna dżungla dewiacji, rozpościerająca się na wiele mil. Chyba niewiele tam zwierząt, ale czasem dostrzegasz jakieś, lecz żadnego nie potrafiłbyś nazwać. Jest dość dużo ptaków, głównie morskich; a raz czy dwa razy ludzie widzieli jakieś wielkie stwory przelatujące w oddali, za daleko, by poznać, czym są, lecz zdecydowanie nieporuszające się jak ptaki. To upiorna, zła kraina i często człowiek, który ją zobaczy, pojmuje nagle, co mogłoby się stać, gdyby nie było praw czystości i inspektorów.

To wszystko jest złe — ale nie najgorsze.

Jeszcze dalej na południe zaczynasz napotykać połacie ziemi porośnięte karłowatą roślinnością, w dodatku mizerną, i niebawem docierasz do takich odcinków wybrzeża i szerokich na dwadzieścia, trzydzieści, a może nawet czterdzieści mil pasów ziemi za nimi, na których nie rośnie nic — zupełnie nic.

Cały brzeg morza jest pusty — czarny, surowy i pusty. Ziemia za nim wygląda jak ogromna pustynia z węgla drzewnego zamiast piasku. Klifowe urwiska mają ostre krawędzie, których nic nie łagodzi. W morzu nie ma ryb ani wodorostów, ani nawet szlamu, a gdy przepływa tamtędy jakiś statek, pąkle i inne żyjątka odpadają od jego dna, pozostawiając je czyste. Nie widać żadnych ptaków. Nic się nie porusza prócz fal omywających czarne plaże.

To przerażające miejsce. Przestraszeni kapitanowie pospiesznie nakazują opuścić je jak najszybciej, co marynarze z ulgą czynią.

A jednak nie zawsze tak było, gdyż był taki statek, którego kapitan lekkomyślnie próbował przepłynąć blisko brzegu. Załoga dostrzegła wielkie kamienne ruiny. Wszyscy się zgodzili, że mają zbyt regularny kształt, aby były tworem naturalnym, i uważali, że mogą to być pozostałości jednego z miast Dawnych Ludzi. Jednak nikt nie wie o tym nic więcej. Większość członków tej załogi zmarniała i umarła, a pozostali nigdy już nie doszli do siebie, tak więc żaden inny statek już potem nie ryzykował żeglugi blisko brzegu.

Przez tysiące mil wybrzeża ciągną się Pustkowia z połaciami jałowej czarnej ziemi; tak daleko, że pierwsze statki, które tam dotarły, zawróciły, ponieważ ich kapitanowie uznali, że nigdy nie dotrą do żadnego miejsca, gdzie mogliby uzupełnić zapasy słodkiej wody i żywności. Wrócili, twierdząc, że zapewne tak wygląda ta kraina aż do krańca Ziemi.

Kaznodzieje i duchowni słuchali tego z zadowoleniem, ponieważ było to bardzo zbliżone do tego, czego nauczali, i na jakiś czas ludzie stracili ochotę na badanie tych terenów.

Później jednak ciekawość zwyciężyła i lepiej wyposażone statki znów popłynęły na południe. Na jednym z nich obserwator, niejaki Marther, napisał w opublikowanym później dzienniku co następuje:

Czarne Wybrzeże wydaje się skrajną formą Pustkowi. Ponieważ wszelkie próby podpłynięcia do niego mogą się skończyć fatalnie, nie można powiedzieć o nim niczego pewnego prócz tego, że jest całkowicie jałowe, a w niektórych rejonach słabo świeci w ciemne noce.

Wprawdzie takie oględziny były możliwe tylko z daleka, jednak nie potwierdzają one poglądu konserwatywnych hierarchów Kościoła, że są rezultatem niepowstrzymanej dewiacji. Nie ma jakichkolwiek dowodów na to, że są one chorym tworem na powierzchni ziemi mającym skazić wszystkie nieczyste obszary. W istocie bardziej prawdopodobne wydaje się coś wręcz przeciwnego. Można powiedzieć, że tak jak nieużytki stają się uprawne, a Pustkowia powoli przechodzą w zamieszkane Obrzeża, tak najwyraźniej Czarne

Wybrzeże kurczy się na rzecz Pustkowi. Obserwacje z bezpiecznej odległości nie mogą być dokładne, ale zdecydowanie wykazują, że na to przerażające pustkowie wdzierają się formy życia, aczkolwiek o skrajnie bluźnierczych kształtach.

Był to jeden z tych fragmentów dziennika, które przysporzyły Martherowi wielu kłopotów z ortodoksami, ponieważ sugerował, że dewiacje bynajmniej nie są przekleństwem, lecz — aczkolwiek powolną — drogą naprawy. Z powodu tej oraz kilku innych herezji Marthera postawiono przed sądem i podjęto próbę wprowadzenia zakazu dalszych badań.

Jednak w czasie całego tego zamieszania statek *Przedsięwzięcie*, który od dawna uważano za stracony, powrócił do macierzystego portu Rigo. Sfatygowany i z uszczuploną załogą, miał połatane żagle, prowizorycznie otaklowany bezanmaszt i w ogóle był w kiepskim stanie, ale triumfalnie zgarnął laury pierwszego, który dotarł do ziem za Czarnym Wybrzeżem. Na dowód tego przywiózł wiele przedmiotów, w tym ozdoby ze złota, srebra i miedzi oraz ładunek przypraw. Ten dowód musiano zaakceptować, ale był poważny problem z przyprawami, ponieważ w żaden sposób nie można było ustalić, czy są wytworem dewiacji, czy czystym produktem. Ortodoksyjni wierni nie chcieli ich nawet tknąć z obawy, że mogą być skażone; inni ludzie woleli wierzyć, że są to takie przyprawy, o jakich wspomina Biblia. Tak czy inaczej, przyniosły wystarczający zysk, żeby statki pływały teraz po nie na południe.

Tamtejsze ziemie nie są cywilizowane. Ich mieszkańcy w większości nie mają poczucia grzechu, więc nie powstrzymują dewiacji, a ci, którzy je mają, mieszają pojęcia. Wielu z nich nie wstydzi się mutacji: zdają się nie przejmować, kiedy występują u ich dzieci, jeśli mogą one samodzielnie żyć i same troszczyć się o siebie. Jednak w innych miejscach znajdziecie dewiantów, którzy uważają się za normalnych. Jest plemię, w którym zarówno mężczyźni, jak i kobiety nie mają włosów i uważają je za diabelskie piętno, a w innym wszyscy mają białe włosy i różowe oczy. W jednym miejscu nie uważają cię za normalnego, jeśli nie masz błony między palcami rąk i nóg, w innym nie pozwalają mieć dzieci żadnej kobiecie, która nie ma wielu piersi. Znajdziecie wyspy, na których wszyscy mieszkańcy są krępi, oraz takie, na których są chudzi; mówi się nawet, że na kilku wyspach zarówno mężczyźni, jak i kobiety można by uznać za wierne wizerunki boskie, gdyby nie dziwna dewiacja, która uczyniła ich czarnoskórymi — choć w to akurat łatwiej uwierzyć niż w istnienie rasy dewiantów skarlałych do dwóch stóp wzrostu, mających sierść oraz ogon i żyjących na drzewach.

Pomimo wszystko jest tam dziwniej, niż mógłbyś sobie wyobrazić, i kiedy to zobaczysz, wszystko już zdaje się możliwe.

Ponadto w tamtych stronach jest bardzo niebezpiecznie. Ryby i inne stwory żyjące w morzu są większe i groźniejsze niż tutaj. A kiedy schodzisz na brzeg, nigdy nie wiesz, jak miejscowi dewianci cię przyjmą. W jednych miejscach są przyjaźnie nastawieni, w innych strzelają do ciebie zatrutymi strzałami. Na jednej z wysp rzucają bomby z zawiniętego w liście pieprzu, a kiedy dostanie ci się do oczu, atakują dzidami. Nigdy nie wiesz, jak będzie.

Czasem, gdy są przyjaźnie nastawieni, nie rozumiesz, co ci próbują powiedzieć, a oni nie rozumieją ciebie, ale częściej, jeśli trochę posłuchasz, to stwierdzisz, że mnóstwo ich słów jest podobnych do naszych, tylko inaczej je wymawiają. I odkryjesz kilka dziwnych, niepokojących rzeczy. Oni wszyscy mają prawie takie same jak my legendy o Dawnych Ludziach — że umieli latać, zwykli budować miasta unoszące się na morzu i mogli rozmawiać ze sobą na odległość nawet kilkuset mil i tym podobne. Bardziej niepokojące jest jednak to, że większość z nich — czy mają siedem palców, cztery ręce, całe ciało pokryte sierścią, cztery piersi i tym podobne wady — uważa się za prawdziwe odwzorowanie Dawnych Ludzi, a wszystkich innych za dewiantów.

Z początku wydaje się to głupie, lecz gdy spotykasz coraz więcej takich, którzy są równie pewni swojej racji jak my — no cóż, zaczynasz się zastanawiać. Zadajesz sobie pytanie: A jaki mamy realny dowód, że jesteśmy prawdziwym odwzorowaniem? Odkryjesz, że Biblia nie zawiera niczego, co by przeczyło temu, że ówcześni ludzie byli tacy jak my, ale także nie podaje żadnej definicji człowieka. Nie, ta definicja pochodzi ze *Skruchy* Nicholsona, a on przyznaje, że napisał ją kilka pokoleń po tym, jak przyszła Udręka, zaczynasz się więc zastanawiać, czy naprawdę wiedział, że jest wiernym wizerunkiem, czy tylko myślał, że nim jest...

Wuj Axel miał znacznie więcej do powiedzenia o południowych krainach, niż zdołałem zapamiętać, i wszystko to było w pewien sposób bardzo interesujące, ale nie powiedział mi tego, co chciałem wiedzieć. W końcu zapytałem go prosto z mostu:

— Wuju Axelu, czy są tam jakieś miasta?

— Miasta? — powtórzył. — No cóż, tu i ówdzie znajdziesz coś w rodzaju miasta. Może równie duże jak Kentak, ale zbudowane inaczej.

— Nie takie — powiedziałem mu. — Mówię o wielkich miastach.

Opisałem mu miasto z mojego snu, ale nie powiedziałem, że mi się przyśniło.

Spojrzał na mnie dziwnie.

— Nie, nigdy nie słyszałem o żadnym takim mieście — powiedział.

— Może jest dalej. Dalej, niż dopłynąłeś? — podsunąłem. Przecząco pokręcił głową.

— Dalej nie da się popłynąć. W morzu jest pełno wodorostów. Masa wodorostów o plechach jak postronki. Statek nie przedrze się przez nie, a jeśli w nie wpłynie, to trudno mu się z nich wydostać.

— Och — powiedziałem. — Jesteś zupełnie pewny, że nie ma tam miasta?

— Jasne — odparł. — Usłyszelibyśmy już o nim, gdyby tam było.

Byłem rozczarowany. Wyglądało na to, że ucieczka na południe, nawet gdybym zdołał znaleźć jakiś statek, który by mnie zabrał, byłaby niewiele lepsza od ucieczki na Obrzeża. Przez jakiś czas miałem nadzieję, ale teraz musiałem pogodzić się z myślą, że miasto z moich snów było jednym z miast Dawnych Ludzi.

Wuj Axel mówił o wątpliwościach co do prawdziwego wizerunku, jakie obudziła w nim podróż. Rozwodził się nad tym długo, aż w pewnej chwili przerwał, by spytać mnie wprost:

— Rozumiesz, Davie, dlaczego ci o tym mówię?

Nie byłem pewny, czy rozumiem. Co więcej, niechętnie godziłem się z luką w schludnej, swojskiej ortodoksyjnej wierze, którą mi wpajano. Przywołałem z pamięci zdanie, które wielokrotnie słyszałem.

— Straciłeś wiarę? — zapytałem.

Wuj Axel prychnął i skrzywił się.

— Słowa kaznodziei! — rzekł i zastanowił się chwilę. — Mówię ci — podjął — że nawet jeśli wielu ludzi coś twierdzi, to wcale nie dowodzi, że tak naprawdę jest. Mówię, że nikt, po prostu nikt naprawdę nie wie, jaki jest prawdziwy obraz. Wszyscy oni tylko myślą, że wiedzą — tak jak my uważamy Dawnych Ludzi za prawdziwy obraz, ale nie możemy tego dowieść, więc równie dobrze mogli nim nie być. — Odwrócił się i znów przyglądał

mi się długo i uważnie. — A zatem — rzekł — jak ktokolwiek
może być pewny, że ta „różnica" u ciebie i Rosalind nie czyni was wierniejszym wizerunkiem? Może Dawni Ludzie nim
byli: dobrze więc, bo przecież mówi się o nich między innymi
to, że mogli rozmawiać ze sobą na duże odległości. My teraz
tego nie potrafimy — ale ty i Rosalind tak. Zastanów się nad
tym, Davie. Wy dwoje możecie być wierniejszym wizerunkiem
niż my.

Wahałem się chwilę, a potem podjąłem decyzję.

— To nie tylko Rosalind i ja, wujku Axelu — powiedziałem. —
Są jeszcze inni.

Był zaskoczony. Wytrzeszczył oczy.

— Inni? — powtórzył. — Kim oni są? Ilu?

Potrząsnąłem głową.

— Nie wiem, kim są — chcę powiedzieć, że nie znam ich
nazwisk. Nazwiska nie mają myślowych kształtów, więc nigdy nas nie obchodziły. Po prostu wiem, kto myśli, tak jak ty
wiesz, kto mówi. Tylko przypadkiem odkryłem, że jedną z tych
osób jest Rosalind.

Wciąż patrzył na mnie poważnie i z niepokojem.

— Ilu was jest? — spytał ponownie.

— Ośmioro — odrzekłem. — Było nas dziewięcioro, ale jeden przestał się odzywać mniej więcej miesiąc temu. Właśnie
o to chciałem cię zapytać, wuju Axelu. Czy sądzisz, że ktoś się
dowiedział? Zamilkł tak nagle. Zastanawialiśmy się, czy ktoś
wie... Widzisz, jeśli się dowiedzieli... — Pozwoliłem, by sam
wyciągnął wniosek.

Po chwili pokręcił głową.

— Nie wydaje mi się. Na pewno byśmy o tym usłyszeli. Może wyjechał? Czy mieszkał gdzieś w pobliżu?

— Chyba nie... ale nie mam pewności — odparłem. — Jestem
jednak pewny, że zawiadomiłby nas, gdyby zamierzał wyjechać.

— Powiadomiłby was także, gdyby ktoś się o nim dowiedział, prawda? — podsunął. — Raczej wydaje mi się, że mógł mieć jakiś wypadek, skoro ucichł tak nagle. Chciałbyś, żebym to sprawdził? — Tak, proszę. Niektórych z nas to przestraszyło — wyjaśniłem.

— W porządku. — Skinął głową. — Sprawdzę, czy uda mi się czegoś dowiedzieć. Mówisz, że to był chłopiec. I zapewne mieszkał niedaleko. Ucichł mniej więcej miesiąc temu. Coś jeszcze? Powiedziałem mu, co jeszcze wiedziałem, czyli bardzo mało. Poczułem ulgę, wiedząc, że spróbuje ustalić, co się stało. Ponieważ minął już miesiąc i nic podobnego nie przydarzyło się nikomu innemu z nas, nie byliśmy już tak przestraszeni, ale nadal niespokojni.

Zanim się rozstaliśmy, wuj powtórzył wcześniejszą radę, każąc mi pamiętać, że nikt nie może być pewny, jaki jest prawdziwy obraz.

Później zrozumiałem, dlaczego mi ją dał. Zdałem sobie także sprawę, że niewiele go obchodziło, jaki jest ten prawdziwy obraz. Nie potrafię powiedzieć, czy postąpił mądrze, czy nie, próbując uchronić nas przed strachem i poczuciem niższości, które — jak przewidywał — czekają nas, gdy będziemy bardziej świadomi naszej natury i odmienności. Może byłoby lepiej jeszcze przez jakiś czas nie poruszać tego tematu — a z drugiej strony może to w pewnej mierze złagodziło stres przebudzenia...

W każdym razie postanowiłem na razie nie uciekać z domu. Trudności praktyczne wydawały się nie do pokonania.

Rozdział 7

Przyjście na świat mojej siostry Petry było dla mnie prawdziwym, a dla wszystkich innych udawanym zaskoczeniem. Przez cały poprzedni tydzień lub dwa w domu panowała atmosfera lekkiego, niewytłumaczalnego wyczekiwania, ale nikt o tym nie mówił i nie myślał. Natomiast ja miałem dziwne wrażenie, że trzyma się mnie w nieświadomości czegoś, co ma się zdarzyć, aż do tej nocy, gdy usłyszałem krzyk dziecka. Był przenikliwy, nie można go było pomylić z żadnym innym dźwiękiem i niewątpliwie rozlegał się w domu, w którym poprzedniego dnia nie było żadnego niemowlęcia. Rankiem jednak nikt o tym nie wspominał. W istocie nikomu nawet się nie śniło otwarcie poruszać tej sprawy, dopóki nie przyjdzie inspektor, aby wystawić certyfikat, że dziecko jest człowiekiem i prawdziwym obrazem. Gdyby niefortunnie się okazało, że odbiega od tego obrazu i nie może otrzymać certyfikatu, wszyscy nadal udawaliby, że nic się nie wydarzyło, i cały ten pożałowania godny incydent zostałby uznany za niebyły.

Zaraz po świcie ojciec wysłał stajennego na koniu po inspektora i w oczekiwaniu na jego przybycie wszyscy w domu usiłowali ukryć niepokój, udając, że zaczął się kolejny zwyczajny dzień.

Przychodziło to z coraz większym trudem, gdyż czas płynął, a stajenny zamiast wrócić z inspektorem, jak można by oczekiwać w wypadku dotyczącym człowieka o pozycji i wpływach mojego ojca, przywiózł uprzejme zawiadomienie, że inspektor postara się znaleźć czas i złożyć nam wizytę w ciągu dnia.

Nawet praworządny człowiek postępuje bardzo nieroztropnie, wojując z miejscowym inspektorem i publicznie obrzucając go obelgami. Inspektor ma zbyt wiele możliwości, żeby się odegrać.

Ojciec bardzo się rozgniewał, tym bardziej że dobre maniery nie pozwalały mu wyznać, dlaczego się gniewa. Co więcej, doskonale wiedział, że inspektor zamierzał go rozzłościć. Ojciec przez cały ranek kręcił się po domu i podwórzu, raz po raz wybuchając gniewem z powodu jakichś błahostek, tak że wszyscy wokół chodzili na palcach i pracowali naprawdę bardzo solidnie, żeby nie ściągnąć na siebie jego gniewu.

Nikt nie odważy się ogłosić narodzin dziecka, dopóki nie zostanie ono oficjalnie zbadane i zaaprobowane, a im później się to stanie, tym więcej czasu mają złośliwcy na wymyślanie przypuszczalnych powodów tej zwłoki. Człowiek o wysokiej pozycji stara się jak najszybciej uzyskać certyfikat. Ponieważ do tego czasu słowa „dziecko" nie można było wypowiadać, wszyscy musieliśmy udawać, że matka leży w łóżku z powodu lekkiego przeziębienia lub innej niedyspozycji.

Moja siostra Mary od czasu do czasu znikała w pokoju matki, a w przerwach próbowała ukryć niepokój, dyrygując służącymi. Ja czułem się zobowiązany być w pobliżu, żeby nie przegapić werdyktu, gdy zostanie wydany. Ojciec wciąż się kręcił.

Zaciekawienie podsycała powszechna świadomość, że w dwóch ostatnich takich wypadkach nie wydano certyfikatu. Ojciec musiał dobrze wiedzieć – i niewątpliwie inspektor również – że wiele osób po cichu zastanawiało się, czy odprawi on moją matkę – do czego miał prawo – jeśli ten wypadek okaże się równie niefortunny. A na razie, ponieważ szukanie inspektora byłoby zarówno niegrzeczne, jak i upokarzające, mogliśmy tylko starać się jak najlepiej znosić czekanie.

Inspektor dotarł na swym kucu dopiero po południu. Ojciec wziął się w garść i wyszedł go przywitać; niemal się dusił, usiłując zrobić to choć w miarę uprzejmie. Pomimo to inspektor się nie spieszył. Leniwie zsiadł z konia i wszedł do domu, gawędząc o pogodzie. Ojciec, czerwony na twarzy, przekazał go Mary, która zaprowadziła go do pokoju matki. Potem zaczęło się jeszcze gorsze oczekiwanie.

Mary powiedziała później, że niewiarygodnie długo mamrotał coś pod nosem, niezwykle drobiazgowo badając niemowlę. W końcu jednak wyszedł z sypialni z nieprzeniknioną miną. W rzadko używanym saloniku usiadł przy stole i przez chwilę starannie ostrzył gęsie pióro. Wreszcie wyjął z teczki formularz i niespiesznie napisał, że oficjalnie uznaje dziecko za prawdziwą ludzką istotę rodzaju żeńskiego wolną od wszelkich wykrywalnych dewiacji. Przez moment spoglądał na ten certyfikat, jakby niezupełnie usatysfakcjonowany. Jego dłoń zawisła nad dokumentem, zanim opatrzył go datą i podpisem, po czym dokładnie wysuszył i z lekkim wahaniem podał mojemu wściekłemu ojcu. Oczywiście nie miał żadnych wątpliwości, w przeciwnym razie skonsultowałby swoją opinię, z czego ojciec doskonale zdawał sobie sprawę.

W końcu istnienie Petry zostało zatwierdzone. Oficjalnie oznajmiono mi, że mam nową siostrę, i w końcu zaprowadzono mnie, żebym zobaczył ją leżącą w kołysce przy łóżku matki.

Wydała mi się tak różowa i pomarszczona, że nie miałem pojęcia, jak inspektor mógł być pewny swojego werdyktu. Jednak nie miała żadnych widocznych wad fizycznych, więc otrzymała certyfikat. Nikt nie mógł o to winić inspektora: wyglądała zupełnie normalnie, jak każde nowo narodzone dziecko... Gdy oglądaliśmy ją po kolei, ktoś zgodnie ze zwyczajem uderzył w dzwon na stajni. Wszyscy na farmie przerwali pracę i wkrótce zebraliśmy się w kuchni na dziękczynne modły.

Dwa, a może trzy dni po narodzinach Petry przypadkiem poznałem fragment rodzinnej historii, którego wolałbym nie znać. Siedziałem sobie spokojnie w pokoju przylegającym do sypialni rodziców, gdzie matka wciąż leżała w łóżku. Znalazłem się tam tyleż przypadkowo, co w wyniku świadomego wyboru. Było to ostatnie miejsce, w którym mogłem się ukryć po obiedzie, aż teren się oczyści i będę mógł się wymknąć, zanim przydzielą mi jakąś pracę do wykonania po południu. Dotychczas nikomu nie przyszło do głowy mnie tam szukać. Musiałem tylko przeczekać około pół godziny. Zwykle była to bardzo dogodna kryjówka, chociaż obecnie korzystanie z niej wymagało ostrożności, ponieważ ścianka z obrzuconej gliną wikliny popękała i musiałem bardzo ostrożnie chodzić na palcach, żeby nie usłyszała mnie matka.

Tego dnia już sądziłem, że zaczekałem wystarczająco długo, by wszyscy wrócili do swoich zajęć, gdy przed dom zajechała dwukołowa bryczka. Kiedy mijała okno, zobaczyłem, że lejce trzyma ciotka Harriet.

Spotkałem ją zaledwie osiem czy dziewięć razy, ponieważ mieszkała piętnaście mil od nas w kierunku Kentak, ale podobało mi się to, co o niej wiedziałem. Była jakieś trzy lata młodsza od mojej matki. Były nawet podobne do siebie, ale ciotka Harriet miała trochę łagodniejsze rysy twarzy, tak więc wydawała się zupełnie inna. Kiedy na nią patrzyłem, zawsze miałem wrażenie, że widzę moją matkę taką, jaką mogłaby być — taką, jaką chciałbym, żeby była. Ponadto łatwiej się z nią rozmawiało: nie miała tego deprymującego zwyczaju słuchania tylko po to, żeby człowiekowi coś wytknąć.

Ostrożnie podkradłem się w skarpetkach do okna i patrzyłem, jak przywiązuje konia, bierze z bryczki jakieś białe zawiniątko i niesie je do domu. Widocznie nie napotkała nikogo po drodze, bo po kilku sekundach usłyszałem jej kroki za drzwiami saloniku i szczęk klamki sąsiedniego pokoju.

— Ależ Harriet! — wykrzyknęła matka ze zdziwieniem i lekką dezaprobatą. — Tak szybko?! Chcesz powiedzieć, że jechałaś taki kawał drogi z maleńkim dzieckiem?!

— Wiem — powiedziała ciotka Harriet, akceptując przyganę — ale musiałam, Emily. Musiałam. Usłyszałam, że twoje dziecko przyszło na świat wcześnie, więc... Och, tu jest! Och, jaka śliczna, Emily. Jest ślicznym dzieckiem. — Zamilkła na chwilę. W końcu dodała: — Moje też jest śliczne, nieprawdaż? Czyż nie jest ślicznym maleństwem?

Zaczęły sobie wzajemnie składać gratulacje, które niespecjalnie mnie interesowały. Nie wydaje mi się, by ich niemowlęta jakoś się różniły od innych.

— Cieszę się, moja droga. Henry musi być zachwycony.

— Oczywiście, że jest — powiedziała ciotka Harriet, ale nieco dziwnym tonem. Nawet ja to wyczułem. Ciągnęła pospiesznie: — Urodziła się tydzień temu. Nie wiedziałam, co robić. Potem, kiedy usłyszałam, że twoje dziecko urodziło się wcześniej i to też dziewczynka, to jakby Bóg wysłuchał mojej modlitwy. — Przerwała, po czym dodała zdawkowo coś, co wcale nie zabrzmiało zdawkowo: — Dostałaś jej certyfikat?

— Oczywiście — szorstko odparła matka, niemal urażona. Wiedziałem, jaki ma wyraz twarzy, kiedy mówi tym tonem. Kiedy znów przemówiła, w jej głosie zabrzmiały niepokojące nutki.

— Harriet! — zapytała ostro. — Chcesz mi powiedzieć, że ty nie otrzymałaś certyfikatu?

Ciotka nie odpowiedziała, ale wydało mi się, że usłyszałem stłumiony szloch. Matka rzekła zimno i stanowczo:

— Harriet, daj mi obejrzeć to dziecko — dokładnie.

Przez kilka sekund nie słyszałem nic prócz szlochania ciotki. Potem powiedziała niepewnie:

— To taki drobiazg, widzisz. Nic takiego.

— Nic takiego! — warknęła moja matka. — Masz tupet przynosić swojego potwora do mojego domu i mówić mi, że to nic takiego!

— Potwora! — wykrzyknęła ciotka, jakby ją spoliczkowano. — Och! Och! Och! — pojękiwała cicho.

Po jakimś czasie matka powiedziała:

— Nic dziwnego, że nie odważyłaś się wezwać inspektora.

Ciotka Harriet nadal płakała. Matka zaczekała, aż jej łkanie niemal ucichnie, po czym rzekła:

— Chciałabym wiedzieć, po co tu przyszłaś, Harriet. Po co to tu przyniosłaś?

Ciotka Harriet wydmuchała nos. Kiedy odpowiedziała, mówiła cicho i beznamiętnie:

— Gdy przyszła na świat… kiedy ją zobaczyłam, chciałam się zabić. Wiedziałam, że nigdy jej nie zaaprobują, chociaż to taki drobiazg. Jednak nie zrobiłam tego, bo pomyślałam, że może jakoś zdołam ją uratować. Kocham ją. Jest ślicznym dzieckiem — z wyjątkiem tego. Jest śliczna, prawda?

Matka nic nie powiedziała. Ciotka Harriet mówiła dalej:

— Nie wiem jak, ale miałam nadzieję. Wiedziałam, że mogę

ją zatrzymać przez pewien czas, zanim ją zabiorą — bo dają miesiąc, a potem trzeba ich zawiadomić. Zdecydowałam, że zatrzymam ją przynajmniej tak długo.

— A Henry? Co on na to?

— On... powiedział, że powinniśmy zawiadomić ich od razu. Jednak nie pozwoliłam mu — nie mogłam, Emily. Nie mogłam. Dobry Boże, nie trzeci raz! Zatrzymałam ją i modliłam się, modliłam się i miałam nadzieję. A potem, kiedy usłyszałam, że twoje dziecko urodziło się wcześniej, pomyślałam, że Bóg wysłuchał moich modlitw.

— Doprawdy, Harriet — chłodno powiedziała matka — wątpię, czy to miało coś z tym wspólnego. A także — dodała z naciskiem — nie wiem, co chcesz przez to powiedzieć.

— Pomyślałam — mówiła przygnębiona ciotka Harriet, z trudem wypowiadając słowa — pomyślałam, że gdybym zostawiła moje dziecko u ciebie i pożyczyła twoje...

Matce zaparło dech. Widocznie zabrakło jej słów.

— Tylko na jeden czy dwa dni; żebym mogła uzyskać certyfikat — niepewnie ciągnęła ciotka Harriet. — Jesteś moją siostrą, Emily, moją siostrą i jedyną osobą na świecie, która może mi pomóc zatrzymać moje dziecko.

Znów zaczęła płakać. Zapadła kolejna przedłużająca się cisza, a potem usłyszałem głos matki:

— Nigdy w życiu nie słyszałam czegoś tak oburzającego. Przychodzić tu i proponować, żebym wzięła udział w niemoralnym, przestępczym spisku... Chyba oszalałaś, Harriet. Myślisz, że pożyczyłabym...

Urwała, słysząc ciężkie kroki ojca w korytarzu.

— Joseph — powiedziała mu, gdy wszedł. — Każ jej opuścić ten dom — i zabrać to ze sobą.

— Przecież — powiedział zaskoczony ojciec — przecież to Harriet, moja droga.

Matka wyjaśniła mu całą sytuację. Ciotka Harriet nie odzywała się. W końcu ojciec zapytał z niedowierzaniem:

— Czy to prawda? Po to tu przyjechałaś?

Powoli i ze znużeniem ciotka Harriet powiedziała:

— To już trzeci raz. Znów zabiorą moje dziecko, tak jak zabrali poprzednie. Nie wytrzymam tego, nie zniosę tego znowu. Myślę, że Henry mnie odprawi. Znajdzie sobie inną żonę, która urodzi mu odpowiednie dzieci. Nie zostanie mi nic... nic na tym świecie... nic. Przyszłam tu, mając złudną nadzieję na współczucie i pomoc. Emily jest jedyną osobą, która mogłaby mi pomóc. Teraz... teraz widzę, jaka byłam głupia, mając nadzieję...

Nic na to nie powiedzieli.

— Bardzo dobrze, rozumiem. Pójdę już — rzekła głuchym głosem.

Mój ojciec nie był człowiekiem, który pozostawiłby choć cień wątpliwości co do swojego stanowiska.

— Nie rozumiem, jak śmiałaś tu przyjść, do tego bogobojnego domu, z taką propozycją — powiedział. — Co gorsza, nie okazujesz ani odrobiny wstydu czy wyrzutów sumienia.

Ciotka Harriet odpowiedziała silniejszym głosem:

— A dlaczego miałabym je mieć? Nie zrobiłam niczego, czego miałabym się wstydzić. Nie jestem zawstydzona, tylko pokonana.

— Nie wstydzisz się! — zagrzmiał ojciec. — Nie wstydzisz się sprowadzenia na ten świat kpiny z twojego Stwórcy, nie wstydzisz się, że próbowałaś wciągnąć własną siostrę w przestępczy spisek! — Nabrał tchu i zaczął przemawiać jak z ambony: — Nieprzyjaciele Boga oblegają nas. Usiłują uderzyć w Niego przez nas. Nieustannie próbują zniekształcić prawdziwy obraz; poprzez nasze słabsze naczynia splugawić naszą rasę. Zgrzeszyłaś, kobieto, wejrzyj w swe serce, a zobaczysz, że zgrzeszyłaś. Twój grzech osłabił naszą obronę i przez ciebie uderzył wróg. Nosisz na sukni krzyż, by cię chronił, ale nie zawsze nosiłaś go w sercu. Nie zachowałaś nieustannej czujności przed nieczystością. I tak doszło do dewiacji, a ta, jak każde odstępstwo od prawdziwego obrazu, jest bluźnierstwem — ni mniej, ni więcej. Wydałaś na świat plugastwo.

` — Biedne małe dziecko!

— Dziecko, które — gdybyś spełniła swój zamysł — wyrosłoby, żeby się rozmnażać, a przez to szerzyć nieczystość, aż wszędzie wokół nas byłoby pełno mutantów i obrzydliwości. Tak właśnie stało się tam, gdzie wola i wiara są słabe; tu n i g d y się to nie zdarzy. Nasi przodkowie byli z prawego szczepu i powierzyli nam pieczę nad nim. Mamy ci pozwolić, żebyś zdradziła nas wszystkich? Obróciła wniwecz żywot naszych przodków? Wstydź się, kobieto! I odejdź! Idź do domu w pokorze i bądź posłuszna! Zawiadom o dziecku, zgodnie z prawem. Potem odbądź pokutę, aby się oczyścić. I módl się. Masz wiele powodów, by prosić o wybaczenie. Nie tylko popełniłaś bluźnierstwo, wydając na świat fałszywy obraz, ale w swej arogancji złamałaś prawo i rozmyślnie zgrzeszyłaś. Jestem miłosierna, więc nie oskarżę cię o to. Sama musisz oczyścić swoje sumienie, paść na kolana i modlić się — modlić, by wybaczono ci ten grzeszny zamiar, a także inne grzechy.

Usłyszałem dwa szybkie kroki. Dziecko cicho zakwiliło, gdy ciotka Harriet wzięła je na ręce. Podeszła do drzwi i nacisnęła klamkę, a potem przystanęła.

— Będę się modliła — powiedziała. — Tak, będę się modliła. — Zamilkła, po czym dodała pewniejszym i silniejszym głosem: — Będę się modliła do Boga, żeby zesłał miłosierdzie na ten ohydny świat, i współczucie dla słabych, i miłość dla nieszczęśliwych i pokrzywdzonych. Zapytam Go, czy naprawdę jest Jego wolą, by dziecko cierpiało, a jego dusza została potępiona z powodu niewielkiej wady ciała... A także pomodlę się do Niego, żeby skruszone zostały serca bigotów...

Potem drzwi się zamknęły i usłyszałem, jak powoli idzie korytarzem.

Ostrożnie wróciłem do okna i patrzyłem, jak wychodzi z domu, po czym delikatnie kładzie zawiniątko w bryczce. Przez moment stała, spoglądając na nie, po czym odwiązała konia, wspięła się na kozioł i ułożywszy zawiniątko na kolanach, okryła je połą płaszcza.

Obejrzała się i ten obraz utrwalił się w mej pamięci. Dziecko na jej podołku, rozchylony płaszcz ukazujący gors jasnobrązowej sukni z brązowym, obszytym lamówką krzyżem; niewidzące spojrzenie jej patrzących na dom oczu w twarzy twardej jak granit...

W końcu potrząsnęła lejcami i odjechała.

Za moimi plecami, w sąsiednim pokoju, ojciec mówił:

— I herezja! Na tę próbę podmiany można by przymknąć oko; kobiety w takich sytuacjach miewają dziwne pomysły. Byłem gotowy to zignorować, gdyby zgłosiła dziecko. Jednak herezja to co innego. Harriet jest nie tylko bezwstydna, ale i niebezpieczna; nigdy bym nie podejrzewał, że twoja siostra jest tak niegodziwa. Jak mogła pomyśleć, że jej w tym pomożesz, choć wie, że sama też dwukrotnie musiałaś odpokutować za to samo! W dodatku głosiła herezje w moim domu. Tego nie można tolerować.

— Może nie zdawała sobie sprawy z tego, co mówi — niepewnie powiedziała matka.

— Zatem czas, żeby zdała sobie sprawę. Naszym obowiązkiem jest tego dopilnować.

Matka zaczęła coś mówić, ale załamał jej się głos. Rozpłakała się; jeszcze nigdy nie słyszałem, żeby płakała. Ojciec dalej perorował o potrzebie czystości myśli, serca i czynów, szczególnie ważnej dla kobiet. Wciąż mówił, gdy odszedłem na palcach.

Mimo woli bardzo mnie zaciekawiło, jaki to „drobiazg" spowodował, że z dzieckiem coś było nie tak. Zastanawiałem się, czy może miało tylko dodatkowy paluszek, jak Sophie. Nigdy jednak się nie dowiedziałem, co to było.

Kiedy następnego dnia powiedziano mi, że w rzece znaleziono ciało ciotki Harriet, nikt nie wspomniał o dziecku.

Rozdział 8

Tego dnia, w którym nadeszła ta wiadomość, ojciec wymienił ciotkę Harriet podczas naszych wieczornych modlitw, ale później już nigdy o niej nie wspominano. Jakby została wymazana z pamięci wszystkich oprócz mojej. Mocno się w niej odcisnęła — taka jak w chwili, gdy tylko ją słyszałem, wyobrażając sobie jej dumnie wyprostowaną postać oraz wyzbytą nadziei twarz, kiedy mówiła dobitnie: „Nie jestem zawstydzona, tylko pokonana". A także taka, jaką widziałem ją po raz ostatni, gdy spoglądała na nasz dom.

Nikt mi nie wyjaśnił, jak to się stało, że umarła, ale coś mi mówiło, że to nie był wypadek. Z tego, co podsłuchałem, nie rozumiałem zbyt wiele, a jednak, pomimo to, było to najbardziej niepokojące ze wszystkich znanych mi zdarzeń — i z niewiadomego powodu budziło we mnie o wiele silniejsze poczucie zagrożenia od tego, jakie miałem w związku z Sophie. Przez kilka nocy śniła mi się ciotka Harriet leżąca w rzece, wciąż tuląca do piersi to białe zawiniątko, podczas gdy woda owijała jej włosy wokół bladej twarzy patrzącej niewidzącymi oczami. Bałem się…

A zdarzyło się to po prostu dlatego, że dziecko tylko trochę różniło się czymś od innych dzieci. Miało czegoś za dużo lub czegoś mu brakowało, tak że nie było całkiem zgodne z definicją. Jakiś „drobiazg" czynił je nieodpowiednim, nie takim jak inni ludzie…

Mutant — tak nazwał je mój ojciec… Mutant! Przypomniałem sobie teksty wypalone na drewnianych tabliczkach. I przemowę wędrownego kaznodziei; pogardę w jego głosie, kiedy grzmiał z ambony: „Przeklęty jest mutant!".

Przeklęty jest mutant… Ten mutant, wróg nie tylko ludzkiej rasy, lecz wszystkich istot stworzonych przez Boga; diabelskie nasienie, nieustannie i wieczyście usiłujący wydać owoc, który może zniweczyć Boży ład i zmienić naszą ziemię, tę fortecę Jego woli na Ziemi, w sprośny chaos, jakim są Obrzeża; próbujący uczynić go krainą bezprawia, taką jak ziemie na południu, o których mówił wuj Axel, gdzie rośliny i zwierzęta, a także na pół ludzkie istoty rodzą pokraczne potomstwo; gdzie prawdziwy szczep zastąpiły jakieś nieopisanie dziwaczne stwory, gdzie kwitnie obrzydliwość, a zły duch drwi z Pana nieprzyzwoitymi kaprysami.

Taka niewielka różnica, ten „drobiazg", była pierwszym krokiem…

W takie noce modliłem się bardzo żarliwie.

— O Boże — mówiłem — proszę, błagam Cię, Boże, pozwól, abym był jak reszta ludzi. Nie chcę być inny. Spraw, abym zbudził się rano i był taki jak wszyscy, proszę, Boże!

Jednak rano, kiedy to sprawdzałem, szybko łączyłem się z Rosalind lub kimś z pozostałych, wiedziałem więc, że ta modlitwa niczego nie zmieniła. Wstawałem taki sam, jaki kładłem się spać, i znów musiałem iść do wielkiej kuchni, żeby zjeść śniadanie, patrząc na tabliczkę, która jakoś przestała być częścią umeblowania i zdawała się spoglądać na mnie, głosząc: PRZEKLĘTY JEST MUTANT W OCZACH BOGA I LUDZI!

I wciąż bardzo się bałem.

Po pięciu takich wieczornych modlitwach, które nic nie dały, wuj Axel zatrzymał mnie, kiedy po śniadaniu wstałem od stołu, i powiedział, żebym poszedł z nim i pomógł mu naprawić pług. Zajmowaliśmy się tym przez parę godzin, po czym zarządził przerwę i wyszliśmy z kuźni, żeby posiedzieć na słońcu, oparci plecami o ścianę. Dał mi kawałek owsianego placka i chrupaliśmy przez kilka minut. Potem rzekł:

— No cóż, Davie, wyrzuć to z siebie.

— Co takiego? — spytałem głupio.

— To, przez co od paru dni wyglądasz, jakbyś był niezdrów — odparł. — W czym problem? Ktoś się dowiedział?

— Nie — zapewniłem.

Przyjął to z wyraźną ulgą.

— No więc cóż to takiego?

Opowiedziałem mu o ciotce Harriet i dziecku. Zanim skończyłem, mówiłem już przez łzy. Poczułem ogromną ulgę, mogąc się tym z kimś podzielić.

— Jej twarz, kiedy odjeżdżała — wyjaśniłem. — Jeszcze nigdy nie widziałem, żeby ktoś tak wyglądał. Nadal widzę tę twarz w wodzie.

Skończyłem i spojrzałem na wuja. Miał ponurą minę i opuszczone kąciki ust.

— A więc to tak było — powiedział, kiwając głową.

— Wszystko dlatego, że to dziecko było inne — powtórzyłem. — Tak samo jak Sophie... Wcześniej nie uświadamiałem sobie tego w pełni... I... i boję się, wujku Axelu. Co zrobią, gdy odkryją, że jestem inny...?

Położył dłoń na moim ramieniu.

— Nikt inny nigdy się o tym nie dowie — zapewnił mnie znowu. — Nikt prócz mnie nie wie — a ja cię nie wydam.

To jakoś nie uspokoiło mnie już tak, jak wtedy, gdy powiedział to poprzednio.

— A ten jeden, który zamilkł — przypomniałem mu. — Może dowiedzieli się, że jest...?

Pokręcił głową.

— Sądzę, że o to możesz być spokojny, Davie. Dowiedziałem się, że mniej więcej w tym czasie, który mi podałeś, zginął pewien chłopiec. Nazywał się Walter Brent i miał dziewięć lat. Kręcił się przy ścince i przygniotło go drzewo, biedaka.

— Gdzie? — zapytałem.

— Jakieś dziewięć lub dziesięć mil stąd, na farmie w pobliżu Chipping — odparł.

Zastanowiłem się. Kierunek z pewnością się zgadzał, a taki nieszczęśliwy wypadek mógł być powodem nagłego zerwania kontaktów... Nie życząc źle nieznanemu Walterowi, miałem nadzieję, byłem prawie pewny, że właśnie tak było.

Wuj Axel wrócił do poprzedniej kwestii:

— Nie ma żadnego powodu, żeby ktoś miał to odkryć. Niczego po tobie nie widać, mogą się więc dowiedzieć, tylko jeśli sam im o tym powiesz. Naucz się uważać, Davie, a nigdy się nie dowiedzą.

— A co zrobili z Sophie? — zapytałem kolejny raz.

On jednak znów mi nie odpowiedział. Dodał tylko:

— Pamiętaj, co ci powiedziałem. Oni myślą, że są wiernym obrazem — ale nie mogą tego być pewni. I nawet gdyby Dawni Ludzie byli tacy sami jak ja i oni wszyscy, to co z tego? Och, wiem, że ludzie opowiadają, jacy to oni byli wspaniali, a ich świat cudowny, i że pewnego dnia odzyskamy to wszystko, co oni mieli. Jest mnóstwo bzdur w tym, co się o nich mówi, ale nawet gdyby było w tym wiele prawdy, to dlaczego mamy tak usilnie próbować iść w ich ślady? Gdzie teraz są oni i ten ich cudowny świat?

— Bóg zesłał na nich Udrękę — zacytowałem.

— Jasne, jasne. Z pewnością przejąłeś się słowami kaznodziei, prawda? Łatwo tak mówić, ale trudniej zrozumieć, szczególnie kiedy zwiedzisz trochę świata i zobaczysz, co to oznacza. Udręka to nie były tylko nawałnice, huragany, powodzie i pożary takie jak w Biblii. Raczej jak wszystko to razem wzięte — i o wiele gorsze. Utworzyło Czarne Wybrzeże i świecące w nocy ruiny, i Pustkowia. Może było to coś w rodzaju zniszczenia Sodomy i Gomory, tylko na większą skalę — nie rozumiem jednak dziwnego wpływu Udręki na to, co pozostało.

— Z wyjątkiem Labradoru — podsunąłem.

— On nie jest wyjątkiem, lecz Labrador i Nef zmieniła mniej niż inne miejsca — sprostował. — Cóż to mogło być, ten okropny kataklizm, który musiał się zdarzyć? I dlaczego? Niemal mogę zrozumieć, że rozgniewany Bóg mógł zniszczyć wszystkie żywe stworzenia albo cały świat, ale nie mogę pojąć tego zamętu, tego chaosu dewiacji... To nie ma sensu.

Nie widziałem, na czym polega problem. W końcu Bóg jest wszechmocny, mógł więc zrobić, co chciał. Próbowałem to wyjaśnić wujowi Axelowi, ale potrząsnął głową.

— Musimy wierzyć, że Bóg jest rozsądny, Davie. Bylibyśmy naprawdę zgubieni, gdybyśmy w to nie wierzyli. Cokolwiek jednak tam się stało — machnął ręką, wskazując horyzont — cokolwiek się tam zdarzyło, nie było rozsądne. Wcale. Było to coś kolosalnego, ale poniżej Bożej mądrości. A zatem co to było? Czym mogło to być?

— Przecież Udręka... — zacząłem.

Wuj Axel ze zniecierpliwieniem machnął ręką.

— To słowo — rzekł — jest jak pordzewiałe lustro, nieukazujące niczego. Dobrze zrobiłoby kaznodziejom, gdyby spojrzeli w nie sami. Wprawdzie nie zrozumieliby, ale może zaczęliby myśleć. Może zaczęliby zadawać sobie pytania: „Co my robimy? Co głosimy w kazaniach? Jacy naprawdę byli Dawni Ludzie? Czym sprowadzili tak straszliwą katastrofę na siebie i cały świat?". I po pewnym czasie może zaczęliby mówić: „Czy mamy rację? Udręka zmieniła świat; czy możemy mieć nadzieję, że kiedyś odbudujemy go takim, jaki był w czasach Dawnych Ludzi? I czy powinniśmy próbować? Co byśmy zyskali, gdybyśmy odtworzyli go tak dokładnie, że zakończyłoby się to następną Udręką?". Ponieważ jest jasne, chłopcze, że jakkolwiek cudowni byli Dawni Ludzie, to nie aż tak, by nie popełniali błędów — a nikt nie wie i zapewne nigdy się nie dowie, co uczynili dobrze, a w czym pobłądzili.

Wiele z tego, co mówił, było dla mnie niezrozumiałe, ale chyba pojąłem ogólny sens.

— Ależ wuju — zaprotestowałem — jeśli nie spróbujemy dorównać Dawnym Ludziom i odtworzyć tego, co utracili, to co możemy zrobić?

— No cóż, możemy próbować być sobą i oprzeć się na takim świecie, jaki jest, a nie na tym, który przeminął.

— Chyba nie rozumiem — powiedziałem. — Uważasz, że nie powinniśmy przejmować się prawdziwym szczepem i wiernym wizerunkiem? Nie zważać na dewiacje?

— Niezupełnie — rzekł, a potem zerknął na mnie z ukosa. — Usłyszałeś kilka herezji wygłoszonych przez ciotkę; no cóż, teraz usłyszysz następne, od wuja. Jak myślisz, co czyni człowieka człowiekiem?

Zacząłem recytować definicję. Przerwał mi po pięciu słowach.

— Wcale nie! — zawołał. — Wszystkie te warunki spełniłaby woskowa figurka, ale i tak pozostałaby woskową figurką, nie sądzisz?

— Zapewne tak.

— A zatem człowiekiem czyni człowieka coś, co ma w sobie.

— Dusza? — podpowiedziałem.

— Nie — zaprzeczył — dusze są tylko zbieranymi przez Kościoły żetonami o jednakowej wartości, jak gwoździe. Nie, człowiekiem czyni człowieka jego umysł, a on nie jest rzeczą, lecz wartością, nie u wszystkich jednakową; są lepsze lub gorsze, a im lepsze, tym więcej znaczą. Rozumiesz, do czego zmierzam?

— Nie — przyznałem.

— Chodzi o to, Davie, że duchowni mają trochę racji odnośnie do większości dewiacji, ale nie z powodów, jakie podają. Mają rację, gdyż większość dewiacji nie jest niczym dobrym. Powiedzmy, że pozwoliliby dewiantom żyć wśród nas, co dobrego by z tego przyszło? Czy tuzin rąk lub nóg albo dwie głowy lub oczy na ruchomych słupkach dałyby komuś więcej tego, co czyni człowiekiem? Wcale nie. Człowiek otrzymał swój fizyczny kształt — nazywany wiernym wizerunkiem — zanim jeszcze się dowiedział, że jest człowiekiem. Uczyniło go nim dopiero to, co stało się potem w jego wnętrzu. Odkrył, że ma coś, czego nie ma żadne inne stworzenie: umysł. To postawiło go na innym poziomie. Jak wiele zwierząt miał niemal tak dobre ciało, jakiego potrzebował, ale także tę nową jakość, umysł, choć jeszcze ledwie rozwinięty, i jego właśnie rozwinął. Był on jedyną przydatną cechą, którą mógł sam doskonalić, to jego jedyna droga: doskonalić swój umysł. — Wuj Axel przerwał i zamyślił się. — Na moim drugim statku był lekarz, który tak mówił, a im więcej o tym myślałem, tym bardziej byłem przekonany, że to ma sens. Teraz, tak jak to widzę, w taki czy inny sposób ty, Rosalind i pozostali otrzymaliście jakąś nową cechę umysłu. Modlenie się do Boga, żeby was jej pozbawił, jest niewłaściwe; to jakby Go prosić, żeby uczynił was ślepymi lub głuchymi. Wiem, z czym się mierzysz, Davie, ale to nie jest wyjście. Nie ma łatwego rozwiązania. Musisz się z tym pogodzić. Musisz stawić temu czoło i zdecydować — skoro już tak z tobą jest — jak najlepiej to wykorzystać, nie narażając się na niebezpieczeństwo.

Oczywiście za pierwszym razem niezupełnie zrozumiałem, co mówił. Część z tego pozostała mi w pamięci, a na pół zapomnianą resztę odtworzyłem z późniejszych rozmów. Zacząłem rozumieć to lepiej dopiero później, szczególnie gdy Michael poszedł do szkoły.

Tego wieczoru zawiadomiłem pozostałych o Walterze. Przykro nam było, że zginął, ale z ulgą przyjęliśmy wiadomość, że był to nieszczęśliwy wypadek. Z lekkim zdziwieniem odkryłem, że prawdopodobnie był moim dalekim krewnym; moja babka nosiła nazwisko Brent.

Po tym zdarzeniu zdecydowaliśmy, że powinniśmy znać nazwiska wszystkich w naszej grupce, żeby już nigdy nie znaleźć się w takiej niepewnej sytuacji.

Tak więc było nas ośmioro — cóż, mówiąc to, mam na myśli, że ośmioro z nas mogło porozumiewać się za pomocą myślowych obrazów; kilkoro innych czasem słało śladowe sygnały, ale tak słabe i ograniczone, że praktycznie się nie liczyły. Można je było porównać do osób, które nie są całkiem niewidome, ale ledwie potrafią odróżnić dzień od nocy. Sporadycznie przez nich tworzone obrazy myślowe, które czasem wychwytywaliśmy, były mimowolne oraz zbyt niejasne i stłumione, żeby miały sens.

Do sześciorga pozostałych należeli: Michael, który mieszkał prawie trzy mile na północ od nas; Sally i Katherine, których domy stały na sąsiednich farmach dwie mile dalej, a więc przy granicy przyległego okręgu; Mark, prawie dziewięć mil na północny zachód, oraz Anne i Rachel, dwie siostry mieszkające na wielkiej farmie zaledwie półtorej mili na zachód. Anne, wówczas ponadtrzynastoletnia, była najstarsza; Walter Brent był o sześć miesięcy młodszy od najmłodszego z pozostałych członków grupy.

Dowiedziawszy się, kto jest kim, weszliśmy w kolejne stadium budowania zaufania. W jakiś sposób zwiększyło to przyjemne poczucie wzajemnego wsparcia. Odkryłem, że wiszące na ścianach tabliczki ostrzegające przed mutantami już nie kłują mnie tak w oczy. Jakby wyblakły i zlały się z tłem. Chociaż wspomnienia ciotki Harriet i Sophie wcale nie zblakły, tylko nie były już tak przerażające i nie pojawiały się tak często. Ponadto niebawem pomogło mi wiele nowych spraw, o których musiałem myśleć.

Nasza nauka, jak już powiedziałem, była pobieżna: głównie pisanie, czytanie kilku prostych tekstów, a także Biblii i *Skruchy*, które wcale nie były proste ani łatwe do zrozumienia, no i podstawowego rachowania. To było dość skromne wykształcenie. Z pewnością o wiele za skromne, by zadowolić rodziców Michaela, więc posłali go do szkoły w Kentak. Tam zaczął się dowiadywać mnóstwa rzeczy, które naszym starszym paniom nigdy nie przyszły do głowy. Naturalnie chciał, żeby reszta z nas także posiadła tę wiedzę. Z początku nie przekazywał jej zbyt jasno i przez znacznie większą niż zwykle dzielącą nas odległość trudno nam było go zrozumieć. W końcu jednak, po kilku tygodniach ćwiczeń, kontaktowaliśmy się łatwiej i lepiej, mógł nam więc przekazywać prawie wszystko, czego go uczono — i nawet pewne sprawy, które niezupełnie rozumiał, wyjaśniały się, kiedy przemyśleliśmy je wszyscy, zatem my też mogliśmy trochę mu pomóc. I miło było nam wiedzieć, że niemal zawsze był najlepszy w klasie.

Uczenie się i zdobywanie wiedzy dawały wiele satysfakcji oraz pomagały wyjaśnić mnóstwo zagadkowych spraw, tak że zacząłem lepiej rozumieć sporą część tego, o czym mówił wuj Axel, aczkolwiek przyniosło też pierwszy posmak komplikacji, od których już nigdy nie mieliśmy się uwolnić. Bardzo szybko okazało się, jak trudno jest ukrywać posiadaną wiedzę.

Wiele cierpliwości wymagało zachowanie milczenia w obliczu prostych błędów, cierpliwe wysłuchiwanie głupich twierdzeń opartych na błędnych założeniach lub wykonywanie czegoś w tradycyjny sposób, wiedząc, że jest lepszy...

Oczywiście zdarzały się potknięcia: nieostrożna uwaga wywołująca uniesienie brwi, zniecierpliwienie okazane komuś, kogo należało szanować, niebaczna propozycja, lecz były one nieliczne, gdyż wszyscy już doskonale wiedzieliśmy, co nam grozi. Dzięki ostrożności, szczęściu i szybkiej naprawie błędów jakoś udało nam się uniknąć podejrzeń i przez sześć następnych lat wieść podwójne życie bez poczucia rosnącego zagrożenia.

Aż do dnia, w którym odkryliśmy, że nasza ósemka nagle stała się dziewiątką.

Rozdział 9

Zabawna historia z tą moją młodszą siostrą, Petrą. Wydawała się najzupełniej normalna. Nigdy nie podejrzewaliśmy — nikt z nas. Była radosnym dzieckiem, ładnym od maleńkości, z gęstymi złocistymi loczkami. Wciąż ją widzę w kolorowym ubranku, chwiejnie biegającą tu i tam, ściskającą koszmarnie zezowatą lalkę, którą kochała bezkrytyczną miłością. Sama była jak zabawka, jak każde dziecko skłonna do nabijania sobie guzów, łez, chichotu, chwil poważnej zadumy i słodkiej ufności. Kochałem ją, a wszyscy — nawet ojciec — z krzepiącym brakiem powodzenia usiłowali ją rozpuścić. Nigdy nie przyszło mi do głowy, że mogłaby być odmienna, aż do tego niespodziewanego zdarzenia…

Pracowaliśmy przy żniwach. Dwunastoakrowe pole kosiły zmieniające się sześcioosobowe zespoły. Właśnie oddałem kosę zmiennikowi i łapiąc oddech, pomagałem wiązać snopki, gdy nagle i niespodziewanie spadł na mnie cios… Nigdy nie doznałem czegoś takiego. W jednej chwili zadowolony niespiesznie wiązałem i ustawiałem snopki, a w następnej poczułem straszliwy ból głowy, jak od uderzenia. Bardzo możliwe, że aż się zachwiałem. Czułem ból i stanowcze wezwanie, ciągnące mnie, jakby w moim mózgu utkwił haczyk na ryby. I — przynajmniej w pierwszej chwili — nie miałem cienia wątpliwości, czy powinienem podążyć za nim, czy nie; usłuchałem, oszołomiony. Upuściłem snopek i pomknąłem przez pole, mijając niewyraźnie widoczne zaskoczone twarze. Biegłem dalej, nie wiedząc dlaczego, pewien tylko, że to ważne, przez pół dwunastoakrowego pola, na dróżkę, przez płot, w dół zbocza Wschodniego Pastwiska ku rzece...

Zbiegając na ukos po zboczu, widziałem na drugim brzegu rzeki pole Angusa Mortona przecięte ścieżką wiodącą do kładki, a na tej ścieżce Rosalind, gnającą jak wiatr.

Biegłem dalej brzegiem, mijając kładkę, i w dół rzeki, do głębszych rozlewisk. Bez wahania dotarłem na skraj drugiego z nich i nie przystając, zanurkowałem. Wynurzyłem się blisko Petry. Była na głębinie przy stromym brzegu, trzymając się krzaczka. Ten zgiął się i pochylił, a jego korzenie już zaczynały wychodzić z ziemi. Szybko podpłynąłem do niej i złapałem ją pod pachy.

Przymus nagle osłabł i znikł. Podholowałem Petrę do miejsca, gdzie łatwiej można było wyjść z wody. Gdy poczułem pod nogami dno i zdołałem stanąć, zobaczyłem zaskoczoną minę Rosalind niespokojnie spoglądającej na mnie z krzaków.

— Kto to? — spytała głośno, drżącym głosem. — Kto zdołał to zrobić?

Powiedziałem jej.

— Petra? — powtórzyła z niedowierzaniem w oczach.

Wyniosłem moją siostrzyczkę na brzeg i położyłem na trawie. Była wyczerpana i półprzytomna, ale wyglądało na to, że nic się jej nie stało.

Rosalind podeszła i uklękła na trawie przy drugim boku

Petry. Spojrzeliśmy na jej przemoczoną sukienkę i pociemniałe, zlepione kędziory. A potem — nad nią — na siebie.

— Nie wiedziałem — powiedziałem do Rosalind. — Nie miałem pojęcia, że ona jest jedną z nas.

Rosalind wzięła jej twarz w dłonie, czubkami palców dotykając skroni. Lekko potrząsnęła głową i spojrzała na mnie zaniepokojona.

— Nie jest — stwierdziła. — Jest kimś podobnym do nas, ale nie taka jak my. Nikt z nas nie potrafi rozkazywać w ten sposób. Ona jest kimś o wiele silniejszym niż my.

Potem przybiegli inni: kilka osób podążyło za mną z pola, a kilka innych z drugiego brzegu, na widok Rosalind, która wypadła z domu, jakby się palił. Podniosłem Petrę, żeby zanieść ją do domu. Jeden ze żniwiarzy spojrzał na mnie z lekkim zdziwieniem:

— Skąd wiedziałeś? — zapytał. — Ja nic nie słyszałem.

Rosalind zwróciła się do niego z niedowierzającą miną.

— Jak to? Przecież wrzeszczała tak, że słychać ją było w pół drogi do Kentak! Myślałam, że tylko głuchy by jej nie usłyszał.

Mężczyzna z powątpiewaniem pokręcił głową, ale to, że oboje słyszeliśmy wołanie, zdawało się wystarczającym potwierdzeniem, żeby przekonać wszystkich.

Ja nic nie powiedziałem. Byłem zajęty, gdyż wzburzeni członkowie naszej grupy zarzucili mnie pytaniami; kazałem im zaczekać, aż zostaniemy z Rosalind sami i będę mógł się nimi zająć, nie budząc podejrzeń.

Tej nocy, po raz pierwszy od lat, miałem ten tak często niegdyś sen, tylko tym razem, gdy błysnął nóż w uniesionej wysoko prawej ręce ojca, w lewej nie trzymał cielaka ani Sophie, lecz Petrę. Zbudziłem się spocony ze strachu...

Następnego dnia spróbowałem wysłać Petrze obrazy myślowe. Wydawało mi się, że powinienem jak najszybciej jej uświadomić, że nie może się zdradzić. Bardzo się starałem, ale nie mogłem nawiązać z nią kontaktu. Pozostali też próbowali, ale nie odpowiadała. Zastanawiałem się, czy powinienem ostrzec ją, zwyczajnie jej to mówiąc, ale Rosalind była temu przeciwna.

— Z pewnością zareagowała tak, bo była przerażona — orzekła. — Jeśli teraz nie zdaje sobie sprawy ze swoich możliwości, to zapewne nawet nie wie, co się stało, więc mówienie jej o tym może być niepotrzebnym ryzykiem. Pamiętaj, że skończyła dopiero sześć lat. Uważam, że obciążanie jej tą wiedzą, dopóki nie jest to konieczne, byłoby niewłaściwe i niebezpieczne.

Wszyscy zgodzili się z Rosalind. Wiedzieliśmy, że niełatwo jest nieustannie zważać na każde słowo, nawet jeśli ćwiczyło się to przez lata. Postanowiliśmy zaczekać i powiedzieć to Petrze, dopiero gdy z jakiegoś powodu będzie to konieczne lub kiedy będzie dostatecznie dorosła, by dobrze zrozumieć, przed czym ją ostrzegamy; a do tej pory będziemy czasem sprawdzać, czy uda się nawiązać z nią kontakt; w przeciwnym razie sprawę należy pozostawić tak, jak wygląda teraz.

Wówczas nie widzieliśmy powodu, dlaczego miałoby być inaczej; także z nami wszystkimi — ponieważ nie było innej możliwości. Gdybyśmy nie pozostali w ukryciu, byłoby po nas.

W ciągu kilku ostatnich lat dowiedzieliśmy się więcej o ludziach z naszego otoczenia i ich sposobie myślenia. To, co jeszcze pięć czy sześć lat wcześniej wydawało się niepokojącą grą, stało się ponurą rzeczywistością, gdy pojęliśmy ją w pełni. W zasadzie nic się nie zmieniło. Jeśli chcieliśmy przeżyć, to musieliśmy przede wszystkim ukrywać naszą prawdziwą naturę: chodzić, mówić i żyć tak, żeby niczym się nie różnić od innych ludzi. Posiadaliśmy dar, dodatkowy zmysł, który — jak narzekał

Michael — powinien być błogosławieństwem, lecz był czymś niewiele lepszym od przekleństwa. Najgłupszy normalny był szczęśliwszy, bo czuł, że gdzieś przynależy. My nie mieliśmy takiego poczucia i dlatego trudno nam było dostrzec zalety naszej sytuacji; żeby uniknąć zdemaskowania, musieliśmy się alienować, milczeć, kiedy mieliśmy coś do powiedzenia, nie wykorzystywać naszej wiedzy. Byliśmy skazani na życie w nieustannym kłamstwie i zagrożeniu. Ta perspektywa wiecznego wyobcowania drażniła Michaela najbardziej z nas wszystkich. Wyobraźnia podsuwała mu wyraźniejszą, niż mieli pozostali, wizję związanych z tym rozczarowań, ale nie ukazywała drogi odmiennej od naszej. Jeśli o mnie chodzi, to konieczność ustawicznego pilnowania się była dla mnie wystarczająco absorbująca i dopiero zaczynałem wyczuwać powstałą w rezultacie pustkę. Dorastając, miałem tylko coraz silniejsze poczucie grożącego nam niebezpieczeństwa.

Utwierdziłem się w nim pewnego letniego popołudnia rok wcześniej, niż odkryliśmy zdolności Petry.

To był zły rok. Straciliśmy trzy uprawy i Angus Morton też. Łącznie w okręgu spalono trzydzieści pięć upraw. Procent dewiacji u wiosennego przychówku inwentarza, szczególnie bydła, był największy od dwudziestu pięciu lat — i nie tylko u nas, ale u wszystkich. Wydawało się, że wychodzących nocami z lasów dzikich kotów różnej wielkości jest więcej niż kiedykolwiek przedtem. Co tydzień przed sądem stawał ktoś oskarżony o próbę ukrycia dewiacyjnych plonów albo ubój i spożycie niezgłoszonych zwierząt będących odstępstwami, a na dodatek w nie mniej niż trzech okręgach ogłoszono alarm z powodu najazdów licznych band z Obrzeży. Wkrótce po tym, jak odwołano ostatni z nich, natknąłem się na starego Jacoba, który mamrotał coś pod nosem, przerzucając na podwórzu gnój widłami.

— W czym rzecz? — zapytałem, zatrzymując się obok.

Wbił widły w gnój i jedną ręką wsparł się na stylisku. Był stary i przerzucał gnój, odkąd pamiętałem. Nie wyobrażałem sobie, że kiedykolwiek był lub mógł być kimś innym. Zwrócił ku mnie pobrużdżoną twarz prawie ukrytą pod strzechą siwych włosów i bokobrodów, które zawsze kojarzyły mi się z Eliaszem.

— Fasola — powiedział. — Teraz cała moja cholerna fasola jest niedobra. Najpierw ziemniaki, potem pomidory, później sałata, a teraz przeklęta fasola. Nie pamiętam takiego roku jak ten. Zdarzało się to z innymi warzywami, ale czy kto kiedy słyszał, żeby zepsuła się fasola?

— Jesteś pewny? — spytałem.

— Jasne. Oczywiście, że jestem pewny. Myślisz, że w moim wieku nie wiem, jak powinna wyglądać fasola? — Gniewnie patrzył na mnie z gęstwiny siwego zarostu.

— To rzeczywiście zły rok — przyznałem.

— Zły? To katastrofa. Całe tygodnie poszły z dymem, świnie, owce i krowy zżerają dobrą paszę i wydają na świat same obrzydliwości. Mężczyźni są wzywani do pilnowania granicy i człowiek nie wyrabia się z robotą, bo musi pracować za nich. Nawet warzywa w moim ogródku są zmutowane jak diabli. Zły rok? Masz rację. A będzie jeszcze gorzej, powiadam. — Pokręcił głową. — Tak, będzie gorzej — powtórzył z ponurą satysfakcją.

— Dlaczego? — dociekałem.

— To kara — odpowiedział. — I ludzie na nią zasługują. Żadnej moralności, żadnych zasad. Spójrz na młodego Teda Norberta: dostał niską grzywnę, bo ukrył dziesięć prosiaków i zjadł wszystkie prócz dwóch, zanim to odkryto. Jego ojciec pewnie przewraca się w grobie. Cóż, gdyby on zrobił coś takiego — nie żeby był do tego zdolny, rozumiesz, ale gdyby — czy wiesz, jak by go ukarano?

Przecząco pokręciłem głową.

— Zostałby publicznie zawstydzony w niedzielę, musiałby
odbyć tygodniową pokutę i oddać jedną dziesiątą wszystkiego, co miał — dobitnie rzekł Jacob. — Dlatego wtedy nie zna-
lazłbyś wielu osób, które robiły takie rzeczy... A teraz? Kto się
przejmuje niewielką grzywną? — Z niesmakiem splunął na stertę gnoju. — I tak samo jest wszędzie. Rozprzężenie, gnuśność,
wszyscy potrafią tylko prawić piękne słówka. Dziś można dostrzec to wszędzie. Jednak nie wolno drwić z Boga. Oni znów
sprowadzą na nas Udrękę, jak nic: ten rok jest jej początkiem.
Cieszę się, że jestem stary i pewnie tego nie zobaczę. Jednak to
nadejdzie, wspomnisz moje słowa.

Te rządowe przepisy wymyślone przez bandę biadolących,
mazgajowatych półgłówków na wschodzie — ciągnął. — W tym
cały kłopot. Zgraja niedowarzonych polityków i duchownych,
którzy powinni mieć więcej rozumu; ludzie, którzy nigdy nie
żyli na pograniczu i nic o nim nie wiedzą, a pewnie nawet nie widzieli mutanta — siedzą tam rok po roku, podważając Boże prawa, uważając, że wiedzą lepiej. Nic dziwnego, że mamy takie
lata zesłane jako przestrogę, ale czy oni widzą to ostrzeżenie
i się nim przejmą? — Znów splunął. — Myślą, że w jaki sposób
południowy zachód stał się cywilizowanym i bezpiecznym krajem bogobojnych ludzi? Myślą, że jak ograniczono występowa-
nie mutantów i ustanowiono standardy czystości? Nie przez
zabawę z niewielkimi grzywnami, które człowiek może płacić
co tydzień i nawet tego nie zauważy. Poprzez przestrzeganie
prawa i karanie każdego, kto je naruszył, tak by poczuł, że został ukarany.

Gdy mój ojciec był młody — kontynuował Jacob — kobietę, która urodziła dziecko niebędące wiernym wizerunkiem,
chłostano. Jeśli urodziła trzy takie, odbierano jej certyfikat,
pozbawiano praw i sprzedawano. To sprawiało, że przestrzega-
ły czystości i modlitw. Mój ojciec uważał, że dzięki temu było

o wiele mniej problemów z mutantami, a jeśli jakieś były, to ich palono, tak jak inne dewiacje.

— Palono! — wykrzyknąłem.

Spojrzał na mnie.

— Czyż nie tak należy się pozbywać dewiacji? — spytał z naciskiem.

— Tak — przyznałem. — Plony i zwierzęta, ale...

— Ten trzeci rodzaj jest najgorszy — warknął. — To diabelska kpina z wiernego wizerunku. To oczywiste, że powinno się ich palić tak jak kiedyś. A co się stało? Ci mazgaje w Rigo, którzy nigdy nie mieli z nimi do czynienia, powiedzieli: Chociaż nie są ludźmi, to wyglądają prawie jak ludzie, tak więc zabijanie ich wygląda na morderstwo lub egzekucję, co niepokoi niektóre osoby". I tak, ponieważ kilku półgłówkom zabrakło zdecydowania i wiary, mamy nowe prawa o niemal ludzkich dewiantach. Nie wolno ich likwidować, trzeba im pozwolić żyć lub umierać naturalną śmiercią. Mają być wyjęci spod prawa i wygnani na Obrzeża, a jeśli to niemowlęta, po prostu porzucone tam na pastwę losu, co niby jest miłosierniejsze. Przynajmniej rząd ma tyle rozsądku, by rozumieć, że nie wolno im pozwolić się rozmnażać, i pilnuje, by tego nie robili — choć jestem gotów się założyć, że są przeciwnicy tego rozwiązania. I co się dzieje? Mamy coraz więcej mieszkańców Obrzeży, a to oznacza, że najazdy są coraz częstsze i groźniejsze, a ich powstrzymywanie kosztuje wiele czasu i pieniędzy — a wszystko z powodu ckliwego unikania problemu. Co to za myślenie, mówić „przeklęty jest mutant", ale traktować go jak przyrodniego brata?

— Przecież mutant nie jest winny... — zacząłem.

— Nie jest winny — prychnął stary Jacob. — Czy tygrys jest winny tego, że jest tygrysem? Jednak się go zabija. Nie można pozwolić, by grasował w pobliżu. *Skrucha* głosi, że trzeba ogniem utrzymywać szczep Pana w czystości, lecz to już nie

odpowiada cholernemu rządowi. Oby wróciły te dawne cza-
sy, gdy człowiek mógł spełniać swoją powinność i utrzymywać
społeczność w czystości. Bo teraz zmierzamy prosto ku kolej-
nej dawce Udręki.

Wciąż mamrotał pod nosem. Wyglądał jak prastary gniew-
ny prorok zagłady.

— Te wszystkie ukrywania — a będzie ich więcej, bo nie
dostają odpowiedniej nauczki. Kobiety, które wydały na świat
bluźnierstwo, chodzą do kościoła i mówią, że im przykro i spró-
bują nie zrobić tego znowu; wielkie konie Angusa Mortona nadal tu są jako „oficjalnie zatwierdzona" kpina z praw czystości;
przeklęty inspektor chce tylko utrzymać swoją posadkę i nie
urazić tych w Rigo. A potem ludzie się dziwią, dlaczego mamy
złe lata...

Dalej mamrotał i spluwał z obrzydzeniem — pełen jadu stary purytanin...

Zapytałem wuja Axela, czy wielu ludzi myśli jak stary Jacob.
W zadumie podrapał się po policzku.

— Bardzo wielu starych ludzi. Oni wciąż uważają to za oby-
watelski obowiązek — tak jak było, zanim ustanowiono inspektorów. Niektórzy ludzie w średnim wieku też są tego zdania, ale
większość z nich jest gotowa zostawić to tak, jak jest. Nie są tak
rygorystyczni jak ich ojcowie. Uważają, że nie ma wielkiego znaczenia, jak się to robi, byle mutanci się nie mnożyli i wszystko
szło dobrze — ale wystarczy kilka tak niedobrych lat jak teraz,
a nie mam pewności, czy przyjmą to spokojnie.

— A dlaczego procent dewiacji jest tak wysoki w niektórych
latach? — spytałem.

Pokręcił głową.

— Nie wiem. Mówią, że ma to coś wspólnego z pogodą. Po
ciężkiej zimie ze sztormami z południowego zachodu odsetek dewiacji rośnie — nie natychmiast, ale w następnym roku.

Mówią, że coś przychodzi z Pustkowi. Nikt nie wie, co to takiego, ale wygląda na to, że mają rację. Starzy ludzie uważają to za przestrogę, przypomnienie o Udręce zesłanej, aby trzymać nas na właściwej drodze, i wykorzystują to jak tylko mogą. Przyszły rok też będzie niedobry. Wtedy ludzie będą słuchali ich chętniej. Zaczną szukać kozłów ofiarnych.

Na zakończenie posłał mi przeciągłe, zatroskane spojrzenie. Wziąłem sobie do serca tę przestrogę i przekazałem ją innym. Istotnie, następny rok był niemal równie niedobry jak poprzedni i zaczęto szukać kozłów ofiarnych. Społeczne nastawienie do ukrywania dewiantów było mniej tolerancyjne niż poprzedniego lata, co zwiększyło niepokój, który i tak czuliśmy po odkryciu zdolności Petry.

Przez tydzień po incydencie nad rzeką ze szczególną uwagą nasłuchiwaliśmy jakichś podejrzliwych uwag. Jednak żadnych nie było. Najwyraźniej ludzie uwierzyli, że zarówno Rosalind, jak i ja niezależnie od siebie usłyszeliśmy wołanie o pomoc, które ze względu na odległość musiało być słabe. Mogliśmy się odprężyć — ale nie na długo. Minął zaledwie miesiąc, a pojawił się nowy powód złych przeczuć.

Anne oznajmiła, że zamierza wyjść za mąż…

Rozdział 10

Już wtedy, gdy nam to powiedziała, było w tym wyzwanie. Z początku nie traktowaliśmy tego poważnie. Trudno nam było uwierzyć i nie chcieliśmy wierzyć, że mówi poważnie. Po pierwsze, jej wybrankiem był Alan Ervin, ten sam, z którym walczyłem na brzegu strumienia i który potem doniósł na Sophie. Rodzice Anne mieli dużą farmę, niewiele mniejszą od Waknuk, a Alan był synem kowala i w przyszłości miał w najlepszym razie też zostać kowalem. Miał po temu odpowiednie warunki fizyczne, bo był wysoki i zdrowy, ale to wszystko. Rodzice Anne z pewnością mieli wobec niej ambitniejsze plany, tak więc raczej się nie spodziewaliśmy, że coś z tego wyjdzie.

Myliliśmy się. Jakoś przekonała rodziców do tego pomysłu i oficjalnie ogłoszono zaręczyny. Dopiero wtedy się przestraszyliśmy. Nagle musieliśmy uwzględnić konsekwencje tego zdarzenia i pomimo młodego wieku rozumieliśmy je dostatecznie dobrze, żeby się niepokoić. To Michael pierwszy przedstawił je Anne.

— Nie możesz, Anne. Nie wolno ci, dla twojego dobra — powiedział jej. — To tak, jakbyś związała się na całe życie z kaleką. Zastanów się, Anne, dobrze się zastanów, co to oznacza. Odpowiedziała mu gniewnie.

— Nie jestem głupia. Oczywiście, że się zastanawiałam. Myślałam o tym dłużej niż wy. Jestem kobietą — mam prawo wyjść za mąż i mieć dzieci. Was, chłopców, jest trzech, a nas, dziewcząt, pięć. Chcesz powiedzieć, że dwie z nas nigdy nie będą mogły wyjść za mąż? Nigdy nie będą miały własnego życia i domu? Bo jeśli nie, to dwie z nas będą musiały wyjść za normalnych. Kocham Alana i zamierzam za niego wyjść. Powinniście mi być wdzięczni. To uprości sytuację pozostałych.

— To nie tak — spierał się Michael. — Na pewno nie jesteśmy jedynymi. Musi być więcej takich jak my — gdzieś dalej, poza zasięgiem. Jeśli trochę poczekamy...

— Dlaczego miałabym czekać? To może trwać lata albo wieki. Mam Alana, a wy chcecie, żebym marnowała lata, czekając na kogoś, kto może nigdy się nie zjawi, a jeśli nawet, to może będzie dla mnie odpychający. Chcecie, żebym zrezygnowała z Alana i zaryzykowała utratę wszystkiego. Cóż, nie mam zamiaru tego robić. Nie prosiłam o zdolności, które mamy, ale jak każdy mam prawo brać z życia, co zdołam. To nie będzie łatwe, ale czy myślicie, że łatwiej byłoby mi czekać tak rok za rokiem? Dla nikogo z nas to nie jest łatwe, ale wcale nie będzie łatwiejsze, jeśli dwie z nas będą musiały porzucić wszelką nadzieję na miłość i przywiązanie. Trzy mogą wyjść za was trzech. Co się wtedy stanie z pozostałymi dwoma — tymi, które zostaną same? Nie będą należały do żadnej grupy. Chcecie powiedzieć, że mają być pozbawione wszystkiego? To ty się nie zastanowiłeś, Michaelu, ani nikt z was. Ja wiem, czego chcę, wy nie wiecie, bo poza Davidem i Rosalind nikt z was nie jest zakochany, więc nikt z was nie stanął przed takim wyborem.

Miała trochę racji, ale nawet jeśli jeszcze nie stawiliśmy czoła wszystkim związanym z tym ewentualnym problemom, to dobrze znaliśmy te, które nieustannie nam towarzyszyły, a głównym była konieczność udawania, dusząca niemożność pełnego uczestniczenia w życiu naszych rodzin. Dla większości z nas jednym z największych marzeń było uwolnienie się pewnego dnia od tego brzemienia i choć nie mieliśmy pojęcia, jak można by tego dokonać, wszyscy rozumieliśmy, że małżeństwo z normalną osobą szybko stałoby się nie do zniesienia. Nasza obecna sytuacja w rodzinach była wystarczająco trudna, a życie z kimś, kto nie posługuje się obrazami myślowymi, byłoby niemożliwe. Po pierwsze, każde z nas nadal byłoby mocniej i bliżej związane z pozostałymi członkami grupy niż z normalną osobą, którą poślubiło. A byłaby to parodia małżeństwa, gdyby małżonków dzieliło coś istotniejszego niż nieznajomość obcego języka, coś, co jedno z nich zawsze ukrywałoby przed drugim. Rezultatem byłoby nieszczęście, stały brak zaufania i poczucia bezpieczeństwa; perspektywa ustawicznego wystrzegania się jakiegoś potknięcia — a już się przekonaliśmy, że przypadkowe potknięcia są nieuniknione.

Inni ludzie wydawali się ograniczeni, niepełni w porównaniu z tymi, z którymi wymienialiśmy obrazy myślowe, i nie sądzę, by „normalni", którzy nigdy nie mogli w tym uczestniczyć, zrozumieli, o ile bardziej każde z nas jest częścią pozostałych. Jakie mogli mieć pojęcie o współmyśleniu, gdy dwa umysły są zdolne zrozumieć coś, czego jeden nie może? My nie musimy zmagać się z mankamentami słów, trudno by nam było udawać czy oszukiwać w myślach, nawet gdybyśmy chcieli, natomiast wzajemne niezrozumienie jest prawie niemożliwe. Cóż więc może nam dać bliski związek z jakąś słabo kontaktową normalną osobą, która w najlepszym razie potrafi tylko odgadywać czyjeś uczucia lub myśli? Nic prócz długotrwałego niezadowolenia i frustracji — prędzej czy później zakończonych fatalnym błędem lub nagromadzeniem budzących podejrzenia drobnych potknięć.

Anne rozumiała to równie dobrze jak każde z nas, ale teraz usiłowała to ignorować. Zaczęła bronić swojej decyzji, odmawiając nawiązania kontaktu, choć nie potrafiliśmy orzec, czy całkowicie zamknęła przed nami swój umysł, czy może wciąż słucha, nie biorąc udziału w rozmowach. Podejrzewaliśmy to pierwsze, gdyż bardziej leżało w jej charakterze, ale nie mając pewności, nawet nie mogliśmy omówić tego, co — i czy cokolwiek — powinniśmy zrobić. Nic mi nie przychodziło do głowy. Rosalind też nie wiedziała, co robić.

Rosalind dorosła i stała się wysoką, smukłą młodą kobietą. Była urodziwa, o twarzy przykuwającej wzrok, i atrakcyjna ze względu na to, jak się poruszała i zachowywała. Kilku młodzieńców zwróciło na nią uwagę i zabiegało o jej względy. Traktowała ich uprzejmie, ale nic więcej. Była pracowita, stanowcza i samowystarczalna; może ich onieśmielała, ponieważ szybko przenieśli swoje zainteresowanie gdzie indziej. Nie chciała się wiązać z żadnym z nich. Bardzo możliwe, że z tego powodu była najbardziej z nas wstrząśnięta tym, co zamierzała zrobić Anne.

Spotykaliśmy się w tajemnicy i dla bezpieczeństwa niezbyt często. Sądzę, że nikt spoza naszej grupy nie podejrzewał, że coś nas łączy. Podczas tych spotkań musieliśmy kochać się pospiesznie i smętnie, z przygnębieniem zastanawiając się, czy kiedyś przyjdzie taki czas, że nie będziemy musieli się ukrywać. A ta historia z Anne przygnębiła nas jeszcze bardziej. Małżeństwo z normalną osobą, nawet najmilszą i najlepszą, było dla nas obojga czymś nie do pomyślenia.

Poza nią mogłem zwrócić się z prośbą o radę tylko do wuja Axela. Tak jak wszyscy wiedział o planowanym ślubie, ale zaskoczyła go wiadomość, że Anne jest jedną z nas. Zastanowił się nad tym, po czym pokręcił głową.

— Nie. To się nie uda, Davie. Macie rację. Już od pięciu czy sześciu lat wiem, że coś takiego się nie uda, ale miałem nadzieję, że nigdy się nie zdarzy. Zgaduję, że jesteście wszyscy przyparci do muru, bo inaczej nie mówiłbyś mi o tym.

Skinąłem głową.

— Nie chciała nas słuchać — powiedziałem. — A teraz posunęła się jeszcze dalej. W ogóle nie reaguje. Oznajmiła, że z tym kończy. Nigdy nie chciała różnić się od normalnych, a teraz chce w miarę możliwości być taka jak oni. Wybuchła pierwsza prawdziwa kłótnia w naszej grupie. W końcu powiedziała nam, że nienawidzi nas wszystkich i samego naszego istnienia — a przynajmniej to próbowała nam powiedzieć, ale nie w tym rzecz. Chodzi o to, że pragnie Alana tak bardzo, że postanowiła go zdobyć i nic nie jest w stanie jej powstrzymać. Ja... nigdy nie wiedziałem, że można tak bardzo kogoś pragnąć. Ona jest tak uparta i zaślepiona, że po prostu nie dba o to, co może się zdarzyć potem. I nie wiem, co możemy zrobić.

— Nie sądzicie, że może uda jej się odciąć od tego wszystkiego i wieść normalne życie? Czy to byłoby zbyt trudne? — spytał wuj Axel.

— Myśleliśmy o tym, oczywiście — odrzekłem. — Mogłaby nie odpowiadać na nasze próby nawiązania kontaktu. Robi to teraz, jak ktoś, kto nie chce rozmawiać — ale na dłuższą metę... Byłoby to jak ślub milczenia przez resztę życia. Chcę przez to powiedzieć, że ona nie zdoła po prostu zapomnieć o wszystkim i stać się normalna. Nie wierzymy, żeby to było możliwe. Michael powiedział jej, że to tak, jakby udawała, że ma jedną rękę, ponieważ ten, za którego chce wyjść za mąż, jest jednoręki. Nic dobrego by z tego nie wyszło — i byłoby to nie do zniesienia.

Wuj Axel zastanawiał się nad tym przez chwilę.

— Jesteście przekonani, że ona oszalała na punkcie tego Alana? Mam na myśli, że zupełnie straciła głowę? — spytał.

— Zupełnie nie jest sobą. Już nie potrafi trzeźwo myśleć — powiedziałem. — Zanim przestała odpowiadać, jej obrazy myślowe były przez to bardzo dziwne.

Wuj Axel ponownie z dezaprobatą pokręcił głową.

— Kobiety lubią myśleć, że są zakochane, kiedy chcą wyjść za mąż. Uważają, że to samousprawiedliwienie pomaga im zachować poczucie własnej godności — zauważył. — Nie ma w tym niczego złego; większość z nich potrzebuje jak najwięcej takich złudzeń. Jednak kobieta zakochana to zupełnie inna sprawa. Ona żyje w świecie, w którym zmieniły się wszystkie punkty odniesienia. Jest zaślepiona, ukierunkowana i nieodpowiedzialna. Poświęci wszystko, włącznie z sobą, aby osiągnąć cel. Ona uważa to za najzupełniej logiczne, wszyscy inni zaś za szaleństwo, co społecznie jest bardzo niebezpieczne. A kiedy trzeba przy tym przezwyciężyć poczucie winy i być może odpokutować, wtedy z pewnością jest to bardzo niebezpieczne dla kogoś, kto... — Urwał i przez chwilę zastanawiał się w milczeniu. Potem dodał: — To zbyt niebezpieczne, Davie. Wyrzuty sumienia... zaparcie się siebie... samopoświęcenie... potrzeba oczyszczenia — wszystko to jej doskwiera. I to brzemię, chęć uzyskania pomocy, każe jej podzielić się tym... Obawiam się, Davie, że zrobi to prędzej czy później. Prędzej czy później...

Ja też tak uważałem.

— Tylko co możemy zrobić? — przygnębiony powtórzyłem pytanie.

Przeszył mnie bacznym, poważnym spojrzeniem.

— Raczej co macie prawo zrobić? Jedno z was podjęło decyzję, która zagrozi życiu całej waszej ósemki. Może niezupełnie świadomie, ale to nie czyni zagrożenia mniej poważnym. Nawet jeśli zamierza być wobec was lojalna, to rozmyślnie ryzykuje wasze życie dla własnych celów — wystarczy, że wypowie kilka słów przez sen. Czy ma moralne prawo stworzyć groźbę wiszącą nieustannie nad głowami siedmiu osób tylko dlatego, że chce żyć z tym mężczyzną?

Zawahałem się.

— No cóż, skoro tak to ujmujesz… — zacząłem.

— Właśnie tak to ujmuję. Czy ona ma do tego prawo?

— Robiliśmy, co mogliśmy, żeby ją od tego odwieść — mruknąłem wymijająco.

— I nie zdołaliście. Zatem co teraz? Zamierzacie po prostu siedzieć i czekać, nie wiedząc, kiedy się załamie i wyda was wszystkich?

— Nie wiem.

Tylko tyle mogłem mu powiedzieć.

— Posłuchaj — rzekł wuj Axel. — Znałem kiedyś człowieka, który po pożarze statku znalazł się w dryfującej szalupie wraz z trzema innymi członkami załogi. Mieli niewiele żywności i bardzo mało wody. Jeden z nich pił morską wodę i oszalał. Próbował uszkodzić szalupę, żeby razem utonęli. Był zagrożeniem dla siebie i dla nich. W końcu musieli wyrzucić go za burtę i w rezultacie pozostałym trzem wystarczyło żywności i wody, dopóki nie dopłynęli do brzegu. Gdyby tego nie zrobili i tak by umarł — a najprawdopodobniej oni razem z nim.

Potrząsnąłem głową.

— Nie — powiedziałem stanowczo. — Tego nie moglibyśmy zrobić.

Wciąż bacznie mi się przyglądał.

— Ten świat nikogo nie rozpieszcza, a szczególnie tych, którzy są odmienni — rzekł. — Może jednak nie należycie do tych, którzy przeżyją.

— Nie tylko o to chodzi — powiedziałem mu. — Gdyby to Alan był tym, o którym mówisz, i pomogłoby nam wyrzucenie go za burtę, zrobilibyśmy to. Jednak masz na myśli Anne, a jej tego nie możemy zrobić. Wcale nie dlatego, że jest dziewczyną — po prostu nie moglibyśmy tak postąpić z żadnym z nas. Jesteśmy ze sobą zbyt blisko związani. Ona i pozostali są mi o wiele bliżsi niż moje rodzone siostry. Trudno to wytłumaczyć... — Urwałem, nie wiedząc, jak mu wyjaśnić, ile wszyscy znaczymy dla siebie nawzajem. Wydawało się, że nie ma na to odpowiednich słów. Mogłem tylko powiedzieć mu niejasno: — To byłoby nie tylko morderstwo, wujku Axelu, ale także coś gorszego: jakby zatracenie jakiejś cząstki nas samych... Nie moglibyśmy...

— Pozostaje więc miecz wiszący nad waszymi głowami — przypomniał.

— Wiem — potwierdziłem ze smutkiem. — Jednak to nie jest rozwiązanie. Miecz w naszych sercach byłby gorszy.

Nie mogłem nawet omówić tego z pozostałymi, obawiając się, że Anne przechwyci nasze myśli, byłem jednak najzupełniej pewny, jaki byłby ich werdykt. Wiedziałem, że propozycja wuja Axela jest jedynym praktycznym rozwiązaniem, zdawałem sobie również sprawę, że jest nierealna i nic nie da się zrobić.

Anne nie nawiązywała kontaktu i nie czuliśmy jej myśli, ale nadal nie byliśmy pewni, czy ma dość silnej woli, aby nie odbierać naszych. Od Rachel, jej siostry, dowiedzieliśmy się, że zamierza porozumiewać się tylko słowami i usiłuje sobie wmówić, że jest normalna pod każdym względem, ale to nie uspokoiło nas na tyle, żebyśmy swobodnie wymieniali myśli.

Anne przez kilka następnych tygodni zachowywała się tak samo, więc niemal można było uwierzyć, że zdołała zapomnieć o swojej odmienności i stała się normalna. Dzień jej ślubu nadszedł bez żadnych niespodziewanych zdarzeń, po czym wraz

z Alanem zamieszkali w domu podarowanym jej przez ojca
i stojącym na skraju jego posiadłości. Tu i ówdzie słyszało się
uwagi, że chyba postąpiła niemądrze, wybierając męża z niższej
sfery, ale poza tym nie było wielu komentarzy.

Przez kilka następnych miesięcy niewiele o niej słyszeliśmy.
Zniechęciła siostrę do odwiedzin, jakby chciała zerwać nawet
to ostatnie łączące ją z nami ogniwo. Mogliśmy tylko mieć nadzieję, że wbrew naszym obawom jest spełniona i szczęśliwsza.

Jedną z konsekwencji tego wydarzenia było to, że Rosalind
i ja zaczęliśmy energiczniej szukać rozwiązania naszych własnych problemów. Żadne z nas nie pamiętało, kiedy dokładnie
zdecydowaliśmy, że się pobierzemy. Była to jedna z tych spraw,
które wydają się przesądzone, tak idealnie zgodne z prawami
natury i naszymi własnymi pragnieniami, jakbyśmy wiedzieli
to zawsze. Ta perspektywa ubarwiała nasze myśli, zanim zda-
liśmy sobie z tego sprawę. Dla mnie zawsze było nie do pomyślenia, że mogłoby być inaczej, bo kiedy dwoje ludzi dorasta
razem, dzieląc swoje myśli tak jak my, a świadomość wrogości
otoczenia zbliża ich jeszcze bardziej, czują się sobie wzajemnie
potrzebni, zanim sobie uświadomią, że się kochają.

Kiedy jednak zrozumieją, że się kochają, nagle pojmą także,
że pod pewnymi względami niczym się nie różnią od normalnych... I napotykają takie same przeszkody jak oni...

Waśń między naszymi rodzinami, która po raz pierwszy
ujawniła się za sprawą wielkich koni, trwała już od lat. Mój ojciec i jego przyrodni brat, wuj Angus, ojciec Rosalind, toczyli
regularną wojnę podjazdową. Usiłując zdobyć przewagę, soko-
lim okiem wypatrywali na polach przeciwnika najmniejszych
oznak dewiacji czy odstępstw i od pewnego czasu wiedziano, że
nagradzają informatorów, którzy przynoszą wiadomości o takich nieprawidłowościach.

Ojciec, usiłując utrzymać czystość upraw na wyższym poziomie niż Angus, poniósł bardzo poważne ofiary. Na przykład, chociaż bardzo lubił pomidory, całkowicie zaniechał uprawy roślin z rodziny solonaceae, tak więc teraz kupowaliśmy pomidory i ziemniaki. Kilka innych gatunków także znalazło się na czarnej liście jako niepewne, co było kłopotliwe i kosztowne, a chociaż ten stan rzeczy przyczyniał się do procentowego zwiększenia normalności na obu farmach, to bynajmniej nie poprawiał sąsiedzkich stosunków.

Było oczywiste, że obie strony zdecydowanie sprzeciwiłyby się połączeniu obu rodzin.

Dla nas dwojga sytuacja nieuchronnie musiała stać się coraz trudniejsza. Matka Rosalind już próbowała ją swatać, a ja zauważyłem, że moja matka mierzy niektóre dziewczyny badawczym — choć dotychczas nieprzychylnym — wzrokiem.

Byliśmy pewni, że na razie żadna ze stron nie ma pojęcia, że Rosalind i mnie coś łączy. Strormowie i Mortonowie wymieniali jedynie kąśliwe uwagi, a kościół był jedynym miejscem, w którym przebywali pod tym samym dachem. Rosalind i ja spotykaliśmy się rzadko i bardzo dyskretnie.

Znaleźliśmy się w impasie i wyglądało na to, że jeśli nie zrobimy czegoś, by zmienić tę sytuację, może on trwać w nieskończoność. Był na to pewien sposób i wykorzystalibyśmy go, gdybyśmy mogli być pewni, że gniew Angusa zaowocuje naszym ślubem pod groźbą dubeltówki — ale absolutnie nie mieliśmy takiej pewności. Był tak zrażony do wszystkich Strormów, że z dużym prawdopodobieństwem mogliśmy podejrzewać, że użyłby dubeltówki w innym celu. Co więcej, byliśmy pewni, że nawet gdyby przemocą uratowano honor, to potem obie nasze rodziny by się nas wyrzekły.

Często o tym rozmawialiśmy, szukając jakiegoś pokojowego rozwiązania tego dylematu, lecz nie zbliżyliśmy się do niego ani trochę, choć od ślubu Anne minęło już pół roku.

Co do reszty naszej grupy, to odkryliśmy, że przez te sześć miesięcy ich niepokój się zmniejszył. Wcale nie twierdzę, że się uspokoiliśmy; od kiedy odkryliśmy swe zdolności, nigdy nie byliśmy spokojni, ale musieliśmy przywyknąć do grożącego nam niebezpieczeństwa i gdy kryzys związany z Anne minął, znów żyliśmy w poczuciu tylko odrobinę większego zagrożenia.

Potem, pewnego niedzielnego wieczoru, znaleziono Alana martwego, z szyją przeszytą strzałą, na polnej ścieżce wiodącej do jego domu.

Usłyszeliśmy tę wieść najpierw od Rachel i słuchaliśmy niespokojnie, gdy usiłowała nawiązać kontakt z siostrą. Starała się maksymalnie skupić, ale bezskutecznie. Umysł Anne pozostawał dla nas równie szczelnie zamknięty jak przez ostatnie osiem miesięcy. Nawet w tym nieszczęściu niczego nie słała.

— Pójdę się z nią zobaczyć — oznajmiła nam Rachel. — Ktoś powinien przy niej być.

Czekaliśmy ponad godzinę. Potem Rachel znów się odezwała, bardzo poruszona:

— Ona nie chce mnie widzieć. Nie wpuściła mnie do domu. Wpuściła sąsiadkę, ale nie mnie. Krzyczała, żebym sobie poszła.

— Pewnie myśli, że zrobił to ktoś z nas — odpowiedział jej Michael. — Czy ktoś z was to zrobił albo coś o tym wie?

Wszyscy energicznie zaprzeczyliśmy, jedno po drugim.

— Nie możemy pozwolić jej tak myśleć — zdecydował Michael. — Nie powinna w to wierzyć. Spróbujcie się z nią skontaktować.

Wszyscy spróbowaliśmy. Nie otrzymaliśmy żadnej odpowiedzi.

— To na nic — przyznał Michael. — Musisz jakoś przekazać jej notatkę, Rachel — dodał. — Ostrożnie dobierz słowa, by zrozumiała, że nie mieliśmy z tym nic wspólnego, ale tak, by nikt inny nie mógł tego odczytać.

— Dobrze. Spróbuję — z powątpiewaniem zgodziła się Rachel. Minęła kolejna godzina, zanim znowu się z nami skontaktowała.

— Nic z tego. Dałam tę notatkę kobiecie, która u niej jest, i czekałam. Kobieta wróciła i powiedziała, że Anne podarła liścik, nie otworzywszy go. Moja matka jest tam teraz i próbuje ją namówić, żeby wróciła do domu.

Michael nie odpowiedział od razu. W końcu poradził:

— Lepiej się przygotować. Wszyscy przygotujcie się do ucieczki, ale nie budźcie żadnych podejrzeń. Rachel, nadal próbuj dowiedzieć się jak najwięcej i natychmiast daj nam znać, jeśli coś się wydarzy.

Nie wiedziałem, co robić. Petra już była w łóżeczku i nie mogłem jej zbudzić niepostrzeżenie. Ponadto nie byłem pewny, czy to konieczne. Z pewnością nawet Anne nie mogła podejrzewać jej o udział w zabójstwie Alana. Było mało prawdopodobne, żeby uznano ją za jedną z nas, więc tylko ułożyłem w myślach plan pospiesznej ucieczki i miałem nadzieję, że zostanę ostrzeżony wystarczająco wcześnie, żebyśmy oboje zdołali uciec.

Zanim Rachel odezwała się ponownie, wszyscy w domu poszli już spać.

— Idziemy do domu, matka i ja — zawiadomiła nas. — Anne odprawiła wszystkich i została tam sama. Matka chciała zostać, ale Anne wychodzi z siebie i histeryzuje. Wyrzuciła wszystkich. Bali się, że byłoby jeszcze gorzej, gdyby się upierali zostać. Powiedziała matce, że wie, kto jest odpowiedzialny za śmierć Alana, ale nie wymieniła nikogo po nazwisku.

— Myślisz, że mówiła o nas? Przecież Alan mógł mieć z kimś ostry spór, o którym nic nie wiemy — zauważył Michael.

Rachel bardzo w to wątpiła.

— Gdyby tak było, to z pewnością by mnie wpuściła. Nie krzyczałaby, że mam sobie pójść — przypomniała. — Pójdę tam z samego rana i sprawdzę, czy zmieniła zdanie. Na razie musieliśmy się tym zadowolić. Przynajmniej mogliśmy odetchnąć przez kilka godzin.

Rachel opowiedziała nam później, co wydarzyło się rano następnego dnia.

Wstała godzinę po wschodzie słońca i poszła przez pola do domu Anne. Gdy tam dotarła, wahała się chwilę w obawie, że czeka ją taka sama histeryczna odprawa jak poprzedniego dnia. Jednakże nie było sensu stać tam i patrzeć na dom, zebrała się więc na odwagę i ujęła kołatkę. Stukanie odbiło się echem wewnątrz. Czekała. Na próżno.

Ponownie zastukała kołatką, bardziej zdecydowanie. Wciąż bez skutku.

Rachel przestraszyła się. Energicznie uderzyła kołatką i stała, nasłuchując. Potem powoli i z niepokojem puściła kołatkę i poszła do domu sąsiadki, która była z Anne poprzedniego dnia.

Wziętym ze sterty drewna polanem wybiły szybę i weszły przez okno do środka. Znalazły Anne w sypialni na górze, wiszącą na belce sufitowej.

Razem zdjęły ją i położyły na łóżku. Przybyły o kilka godzin za późno, żeby jej pomóc. Sąsiadka nakryła ją prześcieradłem.

Rachel wszystko to wydawało się nierealne. Była oszołomiona. Sąsiadka wzięła ją pod rękę i poprowadziła do drzwi. Idąc, zauważyła złożoną kartkę leżącą na stole. Podniosła ją.

— To na pewno do ciebie albo do waszych rodziców — powiedziała, wtykając ją w dłoń Rachel.

Rachel tępo spojrzała na kartkę, odczytując widniejący na niej adres.

— Ale to nie... — zaczęła odruchowo.

Zaraz jednak urwała i udała, że uważniej ogląda list, gdyż uświadomiła sobie, że ta kobieta nie umie czytać.

— Ach tak, owszem, dam im go — powiedziała i wsunęła za gors sukni wiadomość zaadresowaną nie do niej i nie do jej rodziców, ale do inspektora.

Mąż sąsiadki odwiózł ją do domu. Przekazała wiadomość rodzicom. Potem, sama w swoim pokoju, który dzieliła z Anne, zanim siostra wyszła za mąż, przeczytała ten list.

Był donosem na nas wszystkich, włącznie z Rachel, a nawet Petrą. Anne oskarżała w nim nas wszystkich o spisek na życie Alana, a jedno z nas, niewymienione po nazwisku, o dokonanie morderstwa.

Rachel dwukrotnie przeczytała ten list, a potem go spaliła.

Po dwóch lub trzech dniach powoli opuściło nas napięcie. Samobójstwo Anne było tragedią, ale nikt nie widział w tym niczego zagadkowego. Młodą mężatkę, w ciąży ze swoim pierwszym dzieckiem, wytrącił z równowagi szok spowodowany utratą męża w takich okolicznościach — z opłakanym, lecz zrozumiałym skutkiem.

Natomiast śmierć Alana była zagadką dla wszystkich, w równej mierze dla nas, co dla innych. Dochodzenie ujawniło, że kilka osób żywiło do niego urazę, ale nikt na tyle silną, aby była motywem do zabójstwa, a każdy ewentualny podejrzany przekonująco wyjaśnił, co robił w czasie, gdy popełniono morderstwo.

Stary William Tay przyznał, że strzała jest jego roboty, ale wytwarzał większość strzał używanych w okręgu. Ta nie była jedną z używanych na zawodach i nie miała żadnych szczególnych cech — zwykła strzała używana do polowania, jakich można znaleźć dziesiątki w każdym domu. Oczywiście ludzie plotkowali i snuli domysły. Rozeszła się pogłoska, że Anne była mniej oddana mężowi, niż uważano, i przez kilka ostatnich tygodni zdawała się go bać. Ku ogromnej udręce jej rodziców z tej pogłoski zrodziła się plotka, że to ona wypuściła tę strzałę, a potem popełniła samobójstwo pod wpływem wyrzutów sumienia lub obawy, że to wyjdzie na jaw. Ta plotka jednak też ucichła, gdy nie odkryto żadnego wystarczająco poważnego motywu. Po kilku tygodniach plotkarze znaleźli sobie inny temat. Sprawę uznano za niemożliwą do wyjaśnienia — być może nawet za nieszczęśliwy wypadek, którego sprawca nie odważył się przyznać...

Pilnie nasłuchiwaliśmy każdej ewentualnej wzmianki, pogłoski czy przypuszczenia, które mogłyby skupić uwagę na nas, ale żadnych nie było i gdy zainteresowanie sprawą osłabło, mogliśmy odetchnąć.

Jednak chociaż byliśmy teraz spokojniejsi niż kiedykolwiek od prawie roku, ta sprawa pozostawiła pewien osad, niedobre przeczucia oraz dotkliwą świadomość, że jesteśmy odmienni i współodpowiedzialni za bezpieczeństwo całej grupy.

Żałowaliśmy Anne, lecz ten żal łagodziła myśl, że tak naprawdę utraciliśmy ją już jakiś czas temu, i tylko Michaela zdawało się to nie uspokajać. Powiedział:

— Jedno z nas okazało się nie dość silne...

Rozdział 11

Tego roku wiosenne inspekcje wypadły pomyślnie. Tylko dwa pola w całym okręgu znalazły się na pierwszej liście przeznaczonych do oczyszczenia i nie należały one do mojego ojca ani jego przybranego brata, Angusa. Dwa poprzednie lata były tak złe, że ludzie, którzy w pierwszym roku niechętnie pozbywali się zwierząt inwentarskich skłonnych do wydawania zmutowanego potomstwa, teraz zabijali je w mgnieniu oka, w rezultacie więc odsetek normalnych urodzeń też się zwiększył. Co więcej, ten zachęcający trend się utrzymywał. To dodało ludziom otuchy, poprawiło humory i dobrosąsiedzkie stosunki. Pod koniec maja porobiono wiele zakładów, że liczba dewiacji w tym roku będzie rekordowo niska. Nawet stary Jacob musiał przyznać, że gniew Boży chwilowo osłabł. „Miłosierny jest Pan", orzekł ze szczyptą dezaprobaty. „Daje grzesznikom ostatnią szansę. Miejmy nadzieję, że naprawią swoje błędy, inaczej w przyszłym roku będzie z nami źle. Chociaż i w tym może się jeszcze zdarzyć wiele złego".

Nie było jednak żadnych oznak zmian na gorsze. Odsetek

normalnych późnych warzyw był niemal równie wysoki jak wśród zbóż. Pogoda także zdawała się zapowiadać dobre żniwa, a inspektor tyle czasu przesiadywał w swoim biurze, że prawie zaczęto go lubić.

Wyglądało na to, że — tak jak dla wszystkich innych — dla nas to lato będzie spokojne, choć pracowite, i być może byłoby takie, gdyby nie Petra.

Pewnego dnia na początku czerwca, najwidoczniej powodowana żądzą przygód, świadomie złamała dwa zakazy. Po pierwsze, bez opieki wyjechała na kucyku poza granicę naszej farmy, a po drugie — nie zadowoliła się przejażdżką po otwartym terenie, ale zapuściła się do lasu.

Lasy wokół Waknuk są — jak już wspomniałem — uważane za stosunkowo bezpieczne, ale lepiej zbytnio na to nie liczyć. Dzikie koty rzadko atakują, jeśli nie są zdesperowane — wolą uciec. Mimo to niemądrze jest tam wchodzić bez broni, ponieważ różne dzikie stworzenia mogą przechodzić z innych lasów zadrzewionymi pasmami, w niektórych miejscach ciągnącymi się z Obrzeży przez cały Dziki Kraj.

Wezwanie Petry przyszło równie nagle i niespodziewanie jak poprzednio. Chociaż mniej gwałtowne i naglące jak wtedy, było stanowcze oraz przepojone taką udręką i strachem, że bardzo nieprzyjemne dla odbierających. Co więcej, dziewczynka nie potrafiła nad tym zapanować. Po prostu emanowała emocjami, pod wpływem których znikły wszystkie inne, jakby zalane gęstą mazią.

Próbowałem porozumieć się z pozostałymi i zawiadomić ich, że sam się tym zajmę, ale nie mogłem nawiązać kontaktu nawet z Rosalind. Trudno to opisać: miałem wrażenie, jakbym usiłował przekrzyczeć głośny hałas, próbując zarazem wypatrzyć coś we mgle. Co gorsza, nie towarzyszył temu żaden obraz ani dźwięk wyjaśniający przyczynę zjawiska; próba opisania tego słowami jest skazana na niepowodzenie, ale można powiedzieć, że było to coś jak nieartykułowany okrzyk protestu. Odruchowa reakcja, mimowolna i niekontrolowana — wątpię, by Petra wiedziała, że go wydaje. Był instynktowny... Wiedziałem tylko, że był wołaniem o pomoc i dochodził z pewnej odległości...

Wybiegłem z kuźni, w której pracowałem, i złapałem strzelbę — która zawsze wisiała tuż za drzwiami nabita i gotowa do użycia w razie potrzeby. W parę minut osiodłałem i dosiadłem konia. Jedyną równie konkretną co siła cechą tego krzyku był kierunek, z którego dobiegał. Gdy znalazłem się na leśnym trakcie, ubodłem konia piętami i pomknąłem galopem do Zachodniego Lasu.

Gdyby Petra choć na kilka minut przestała słać to swoje zagłuszające wszystko wezwanie — co wystarczyłoby, żeby reszta naszej grupy się porozumiała — konsekwencje tego zdarzenia mogłyby być zupełnie inne, a wręcz mogłoby nie być żadnych konsekwencji. Jednak nie przestawała. Wciąż słała ten krzyk, zagłuszając wszystko, i nic nie można było zrobić, tylko jak najszybciej dotrzeć do jego źródła.

W niektórych miejscach jazda była trudna. W pewnej chwili spadłem z konia i straciłem trochę czasu, nim go złapałem. W lesie trakt był lepiej ubity, ponieważ go oczyszczano i dość często używano, bo oszczędzał sporego objazdu. Podążałem nim, aż się zorientowałem, że zajechałem za daleko. Zbyt gęste zarośla uniemożliwiały jazdę na skróty, musiałem więc zawrócić i szukać traktu odchodzącego we właściwą stronę. Nie miałem kłopotu z ustaleniem kierunku: Petra nie milkła ani na moment. W końcu znalazłem wąską ścieżkę, męcząco krętą i pod nisko zwisającymi gałęziami, pod którymi musiałem przywierać do końskiego karku, ale wiodącą w odpowiednim kierunku. Wreszcie krzaki się przerzedziły i mogłem sam wybierać drogę.

Ćwierć mili dalej przedarłem się przez kolejne zarośla i wyjechałem na polanę.

W pierwszej chwili nie zauważyłem Petry. To jej kucyk przykuł mój wzrok. Leżał na drugim końcu polany z rozszarpanym gardłem. Najbardziej zmutowany stwór, jakiego widziałem w życiu, rwał mięso z jego kłębu i pożerał je tak zapamiętale, że nie usłyszał mojego przybycia.

Zwierz był czerwonobrązowy w żółte i ciemnobrązowe cętki. Miał wielkie jak poduszki kończyny porośnięte kępkami futra, na przednich łapach pociemniałego teraz od krwi, oraz długie, zakrzywione pazury. Ogon też porastało mu zwisające futro, które wyglądało jak olbrzymi pióropusz. Pysk miał owalny, a ślepia jak z żółtego szkła. Uszy stwora były szeroko rozstawione i obwisłe, a nos bardzo mocno spłaszczony. Dwa sterczące długie kły zachodziły na dolną szczękę i to nimi oraz pazurami szarpał kucyka.

Zacząłem zdejmować strzelbę z ramienia. Ruch przyciągnął jego uwagę. Obrócił łeb i zastygł przyczajony, patrząc na mnie tymi żółtymi ślepiami, z całą dolną połową pyska umazaną krwią. Uniósł ogon i lekko kołysał nim na boki. Odciągnąłem kurek strzelby i podnosiłem ją do ramienia, gdy szyję stwora przeszyła strzała. Podskoczył, wywijając salto w powietrzu, i spadł na cztery łapy, ciągle patrząc na mnie tymi płonącymi żółtymi ślepiami. Mój koń spłoszył się i stanął dęba, a kula poszła w powietrze, lecz nim zwierz zdołał skoczyć, trafiły go dwie kolejne strzały: jedna w zad, a druga w łeb. Przez moment stał nieruchomo jak posąg, a potem padł.

Po prawej, wciąż z łukiem w ręce, wyjechała na polanę Rosalind, a z drugiej strony pojawił się Michael. Na cięciwie osadził już następną strzałę i nie odrywał oczu od stwora, upewniając się, że nie żyje. Chociaż byliśmy tak blisko siebie, Petra też była niedaleko i nadal nas zagłuszała.

— Gdzie ona jest?! — zapytała głośno Rosalind.

Rozejrzeliśmy się i zobaczyliśmy maleńką postać, dwanaście stóp nad ziemią, na młodym drzewku. Siedziała w rozwidleniu gałęzi i oburącz przytrzymywała się pnia. Rosalind podjechała pod drzewo i powiedziała jej, że może już zejść. Petra wciąż tuliła się do pnia i najwyraźniej nie była w stanie go puścić ani się poruszyć. Zsiadłem z konia, wspiąłem się na drzewo i pomogłem jej zejść niżej, a Rosalind wyciągnęła ręce i zdjęła ją. Posadziła małą przed sobą na siodle i próbowała ją uspokoić, ale Petra nie odrywała oczu od swojego martwego kucyka. Jej rozpacz jeszcze się pogłębiła.

— Musimy to powstrzymać — powiedziałem do Rosalind. — Sprowadzi tu wszystkich.

Michael, upewniwszy się, że stwór naprawdę nie żyje, dołączył do nas. Z niepokojem spojrzał na Petrę.

— Ona nie ma pojęcia, że to robi — stwierdził. — To nie jest inteligentny przekaz; raczej jakby krzyk przerażenia. Byłoby lepiej, gdyby krzyczała w głos. Lepiej zabierzmy ją stąd, żeby nie widziała kucyka.

Odjechaliśmy kawałek, za zasłonę krzaków. Michael mówił spokojnie, starając się dodać Petrze otuchy. Zdawała się go nie rozumieć i jej krzyk rozpaczy nie cichł.

— Może wszyscy razem spróbujmy jej przesłać ukształtowaną myśl? — zaproponowałem. — Pocieszającą, współczującą i uspokajającą? Gotowi?

Spróbowaliśmy — przez całe piętnaście sekund. Krzyk rozpaczy Petry na moment przycichł, a potem znów nas ogłuszył.

— To na nic — orzekła Rosalind i przestała próbować.

Wszyscy troje bezradnie patrzyliśmy na małą. Słany przez nią sygnał trochę się zmienił: strach nieco osłabł, ale szok i rozpacz wciąż były przytłaczające. Zaczęła płakać. Rosalind objęła ją i przytuliła.

— Pozwólmy jej wyrzucić to z siebie. To zmniejszy napięcie — rzekł Michael.

Gdy czekaliśmy, aż się uspokoi, wydarzyło się to, czego się obawiałem. Spomiędzy drzew wyjechała Rachel, a chwilę później z drugiej strony przyjechał jakiś chłopiec. Nigdy wcześniej go nie widziałem, ale domyśliłem się, że to Mark. Jeszcze nigdy nie spotkaliśmy się całą grupą. Wiedzieliśmy, że byłoby to bardzo niebezpieczne. Niemal na pewno dwie pozostałe dziewczyny też były już w drodze na to spotkanie, do którego nigdy nie miało dojść.

Pospiesznie wyjaśniliśmy słowami, co się zdarzyło. Kazaliśmy tym dwojgu natychmiast odjechać i jak najszybciej się rozdzielić, żeby nie zobaczono ich razem. Michaelowi także. Rosalind i ja mieliśmy zostać z Petrą i zrobić co w naszej mocy, żeby ją uspokoić.

Cała trójka bez dyskusji pojęła sytuację. Po chwili opuścili polanę, odjeżdżając w różne strony.

My nadal próbowaliśmy uspokoić i pocieszyć Petrę, ale bezskutecznie.

Jakieś dziesięć minut później przez zarośla przedarły się dwie dziewczyny, Sally i Katherine. One też przyjechały konno, uzbrojone w łuki i gotowe ich użyć. Mieliśmy nadzieję, że któreś z tych trojga, którzy odjechali przed chwilą, napotka je i zawróci, ale najwyraźniej przybyły jeszcze inną drogą.

Podjechały bliżej, ze zdumieniem patrząc na Petrę. Ponownie wyjaśniliśmy sytuację słowami i poradziliśmy im, żeby odjechały. Już miały to zrobić i zawracały konie, gdy spomiędzy drzew wyjechał na polanę jakiś rosły mężczyzna na gniadej klaczy.

Ściągnął wodze, patrząc na nas.

— Co tu się dzieje? — zapytał podejrzliwie.

Nie znałem go i nie przejąłem się jego posturą. Zapytałem go o to, o co zwykle pyta się obcych. Ze zniecierpliwieniem wyjął swój identyfikator z tegoroczną pieczątką. Ustaliliśmy, że obaj nie jesteśmy wyjęci spod prawa.

— Co się stało? — spytał ponownie.

Korciło mnie, żeby mu kazać, by pilnował własnych cholernych spraw, ale zdecydowałem, że w tych okolicznościach lepiej zachować się taktowniej. Wyjaśniłem, że zwierz zaatakował kucyka mojej siostry i przybyliśmy na jej wołanie o pomoc. Nie wziął tego za dobrą monetę. Przyjrzał mi się uważnie, a potem obrócił się, bo popatrzeć na Sally i Katherine.

— Możliwe. Co jednak sprowadziło was tu w takim pośpiechu? — zapytał je.

— Naturalnie przyjechałyśmy, słysząc wołanie dziecka — powiedziała mu Sally.

— Byłem tuż za wami i nie słyszałem żadnego wołania — rzekł.

Sally i Katherine popatrzyły po sobie. Sally wzruszyła ramionami.

— A my tak — powiedziała krótko.

Zdecydowałem, że czas, bym się wtrącił.

— Myślałem, że słyszał to każdy na wiele mil wokół — zauważyłem. — Kucyk też kwiczał, biedaczek.

Zaprowadziłem mężczyznę za kępę krzaków i pokazałem mu zmasakrowanego kuca oraz martwego stwora. Wyglądał na zdziwionego, jakby się nie spodziewał tego dowodu, ale nie był do końca przekonany. Chciał zobaczyć identyfikatory Rosalind i Petry.

— O co chodzi? — teraz ja zapytałem jego.

— Nie widzieliście, że Obrzeża wysłały tu swoich szpiegów? — odparł.

— Ja nie wiedziałem — powiedziałem mu. — A czy my wyglądamy jak ci z Obrzeży?

Zignorował to pytanie.

— No cóż, są tutaj. Jest polecenie, żeby na nich uważać. Zapowiada się na kłopoty, więc im dalej będziecie się trzymać od lasu, tym mniejsze ryzyko, że będziecie je mieli, zanim dotkną nas wszystkich.

Wciąż nie był usatysfakcjonowany. Odwrócił się i znów spojrzał na kucyka, a potem na Sally.

— Powiedziałbym, że minęło z pół godziny, od kiedy ten kucyk przestał kwiczeć. Jak wy dwie zdołałyście tutaj trafić?

Sally spojrzała na niego ze zdziwieniem.

— Cóż, po prostu jechałyśmy w tym kierunku, a gdy znalazłyśmy się blisko, usłyszałyśmy wołanie dziewczynki — wyjaśniła.

— I bardzo ładnie z waszej strony, że to zrobiłyście — wtrąciłem. — Uratowałybyście ją, gdybyśmy przypadkiem nie byli trochę bliżej. Już po wszystkim i na szczęście nic się jej nie stało. Jednak bardzo się przestraszyła, więc lepiej odwiozę ją do domu. Dziękuję wam obu, że chciałyście jej pomóc.

Natychmiast załapały. Pogratulowały nam uratowania Petry, wyraziły nadzieję, że szybko otrząśnie się z szoku, i odjechały. Mężczyzna został. Nadal wyglądał na niezadowolonego i lekko zdziwionego. Nie miał jednak żadnego punktu zaczepienia. W końcu obrzucił naszą trójkę przeciągłym, badawczym spojrzeniem i miałem wrażenie, że chciał jeszcze coś powiedzieć, ale się rozmyślił. W końcu powtórzył radę, żebyśmy trzymali się z daleka od lasu, a potem odjechał w ślad za naszymi dwiema dziewczynami. Patrzyliśmy, jak znika wśród drzew.

— Kto to? — spytała niespokojnie Rosalind.

Mogłem jej tylko powiedzieć, że na identyfikatorze widniało nazwisko Jerome Skinner, nic więcej. Nie znałem go, a jemu nasze nazwiska najwyraźniej też niewiele mówiły. Mógłbym zapytać Sally, gdyby wciąż tego nie uniemożliwiał przekaz Petry. Brak kontaktu z resztą grupy powodował wrażenie głuchoty i sprawiał, że podziwiałem determinację, z jaką Anne całkowicie zerwała go na te ostatnie miesiące.

Rosalind, nadal obejmując prawą ręką Petrę, pojechała stępa w kierunku domu. Ja zabrałem siodło i uzdę martwego kucyka, wyciągnąłem strzały z ciała stwora i ruszyłem za nimi.

Gdy przywiozłem Petrę do domu, natychmiast położono ją do łóżka. Do końca popołudnia i wczesnym wieczorem słany przez nią przekaz chwilami słabł, ale była już prawie dziewiąta, gdy gwałtownie przycichł i zaniknął.

— Dzięki Bogu. W końcu zasnęła — przesłał jeden z pozostałych.

— Kim jest ten cały Skinner? — niespokojnie zapytałem równocześnie z Rosalind.

Odpowiedziała Sally:

— Jest tu od niedawna. Mój ojciec go zna. Ma farmę na skraju lasu niedaleko miejsca, gdzie byliście. To zwyczajny pech, że nas zobaczył, i oczywiście zdziwiło go, że galopem jedziemy do lasu.

— Wydawał się bardzo podejrzliwy. Dlaczego? — spytała Rosalind. — Czy on coś wie o myślowych obrazach? Nie sądziłam, że ktokolwiek z innych o tym wie.

— Nie potrafi ich wysyłać ani odbierać. Dokładnie to sprawdziłam — powiedziała jej Sally.

Michael przysłał wyraźnie sformułowany przekaz — pytał, o co chodzi. Wyjaśniliśmy. Skomentował:

— Niektórzy z nich zdają sobie sprawę, że coś takiego jest możliwe, pojmują to jednak bardzo prymitywnie jako rodzaj emocjonalnego przenoszenia wrażeń. Nazywają to telepatią — a przynajmniej ci, którzy w to wierzą. Większość z nich wątpi, czy coś takiego istnieje.

— Czy uważają to za dewiację? — zapytałem. — Mówię o tych, którzy w to wierzą.

— Trudno powiedzieć. Nie wiem, czy to pytanie zostało

kiedykolwiek jasno postawione. Teoretycznie jednak, skoro Bóg potrafi czytać w ludzkich myślach, to Jego wierny obraz też powinien to umieć. Można twierdzić, że jest to zdolność chwilowo utracona przez ludzi w ramach kary, jako część Udręki — ale nie ryzykowałbym takiej argumentacji przed sądem.

— Ten człowiek zdawał się coś wyczuwać — powiedziała Rosalind. — Czy ktoś jeszcze był równie dociekliwy?

Wszyscy odpowiedzieli jej na to przecząco.

— To dobrze — odparła. — Jednak musimy zadbać, żeby to już nigdy się nie powtórzyło. David będzie musiał wyjaśnić to Petrze słowami i spróbować ją nauczyć samokontroli. Jeżeli znów zacznie słać taki przekaz, wszyscy musicie go zignorować, a przynajmniej nie reagować. Zostawcie to Davidowi i mnie. Jeśli wezwanie będzie tak nieodparte jak za pierwszym razem, to ten, kto dotrze do niej pierwszy, musi jakoś pozbawić ją przytomności, a kiedy ten przekaz ucichnie, musicie zawrócić i udawać, że nic się nie stało. Musimy być pewni, że nie ściągnie ponownie całej naszej grupy w jedno miejsce. Mogłoby się to skończyć mniej szczęśliwie niż dzisiaj. Czy wszyscy to rozumieją i wyrażają zgodę?

Zgodzili się i w końcu przerwali kontakt, pozostawiając Rosalind i mnie omówienie, jak mam najlepiej poskromić Petrę.

Następnego ranka obudziłem się wcześnie i natychmiast znów odebrałem przekaz Petry. Teraz jednak był inny: strach zniknął, a zastąpił go lament nad martwym kucykiem. Nie był jednak tak silny jak poprzedniego dnia.

Spróbowałem nawiązać z nią kontakt i chociaż nie zrozumiała, zareagowała kilkusekundowym milczeniem i chwilowym zainteresowaniem. Wstałem z łóżka i poszedłem do jej pokoju. Ucieszyła się, że ma towarzystwo, i gdy rozmawialiśmy, jej rozpaczliwy sygnał bardzo przycichł. Zanim wyszedłem, obiecałem po południu zabrać ją na ryby.

Wcale nie jest łatwo wyjaśnić słowami, jak się tworzy zrozumiałe wzory myślowe. Każde z nas opanowało tę umiejętność samodzielnie, początkowo formułując je niezdarnie, a potem coraz sprawniej, kiedy odkryliśmy istnienie podobnych sobie i porozumiewając się, nabraliśmy wprawy. Z Petrą było inaczej. Gdy miała zaledwie sześć i pół roku, siłą przekazu już przewyższała o klasę każdego z nas — jednak robiła to zupełnie nieświadomie, tak więc nad tym nie panowała. Starałem się jej to wyjaśnić, ale trudno mi było znaleźć wystarczająco zrozumiałe słowa nawet teraz, a miała już prawie osiem lat. Przez godzinę próbowałem jej to wyjaśnić, gdy siedzieliśmy na brzegu rzeki i obserwowaliśmy spławiki, ale nie zaszedłem z tym daleko, a Petra była już zbyt znudzona, by zrozumieć, co mówię. Najwidoczniej należało podejść do tego inaczej.

— Pobawmy się — zaproponowałem. — Zamknij oczy. Nie otwieraj ich i udawaj, że zaglądasz do bardzo głębokiej studni. Nic w niej nie widać, tylko ciemność. Prawda?

— Tak — odpowiedziała z zaciśniętymi powiekami.

— Dobrze. A teraz nie myśl o niczym, tylko o tym, jak jest w niej ciemno i jak bardzo daleko jest jej dno. Myśl tylko o tym, ale patrz w tę ciemność. Rozumiesz?

— Tak — potwierdziła ponownie.

— Teraz uważaj — nakazałem jej.

Wymyśliłem dla niej królika i kazałem mu poruszyć nosem. Zachichotała. No cóż, to było dobre: przynajmniej miałem pewność, że potrafi odbierać. Skasowałem królika i wymyśliłem szczeniaczka, potem kilka kur, a w końcu konia i bryczkę. Po kilku minutach otworzyła oczy i popatrzyła ze zdumieniem.

— Gdzie jest to wszystko? — spytała, rozglądając się.

— Nigdzie. To wszystko było tylko pomyślane — wyjaśniłem. — To taka zabawa. Teraz ja też zamknę oczy. Oboje będziemy patrzeć w studnię i myśleć tylko o tym, jak jest w niej ciemno. Potem przyjdzie twoja kolej pomyśleć jakiś obrazek na dnie studni, żebym mógł go zobaczyć.

Sumiennie odegrałem swoją rolę i całkowicie otworzyłem umysł. To był błąd. Ujrzałem oślepiający rozbłysk i blask, jakby poraził mnie piorun. Oszołomiony nawet nie zdołałem dostrzec, jaki przesłała mi obraz. Włączyli się pozostali, energicznie protestując. Wyjaśniłem im, co się dzieje.

— Dobrze, ale na miłość boską uważaj i nie pozwól jej zrobić tego ponownie. O mało nie wbiłem sobie siekiery w stopę — przysłał gniewnie Michael.

— Ja oparzyłam sobie dłoń czajnikiem — poskarżyła się Katherine.

— Ucisz ją. Jakoś ją uspokój — poradziła Rosalind.

— Ona wcale nie jest niespokojna. Jest bardzo wyciszona. Wygląda na to, że tak po prostu z nią jest — przesłałem im.

— Może, ale tak być nie powinno — odparł Michael. — Musi to stłumić.

— Wiem i robię, co mogę. Może macie jakieś pomysły, jak sobie z tym poradzić? — spytałem.

— Cóż, następnym razem uprzedź nas, zanim ona spróbuje coś przesłać — powiedziała mi Rosalind.

Wziąłem się w garść i znów skupiłem uwagę na Petrze.

— Robisz to zbyt energicznie — powiedziałem. — Tym razem stwórz mały obrazek myślowy, naprawdę mały i bardzo daleki, w ładnych łagodnych kolorach. Zrób to powoli i delikatnie, jakbyś tkała go z pajęczyn.

Petra kiwnęła głową i znów zamknęła oczy.

— Uważajcie! — ostrzegłem pozostałych i czekałem, żałując, że nie jest to coś, przed czym można by się schować.

Tym razem było to tylko trochę gorsze od małego wybuchu. Oślepiony zdołałem jednak dostrzec przesłany przez nią kształt.

— Ryba! — wykrzyknąłem. — Ryba z obwisłym ogonem.

Petra zachichotała radośnie.

— To niewątpliwie ryba — przysłał Michael. — Dobrze ci idzie. Teraz musisz tylko zmniejszyć siłę jej przekazu do jednego procenta tej, z jaką przesłała ostatni, zanim wypali nam mózgi.

— Teraz ty mi pokaż — zażądała Petra i kontynuowaliśmy naukę.

Następnego dnia po południu mieliśmy kolejną sesję. Wciąż było to dość gwałtowne i wyczerpujące, ale poczyniliśmy pewne postępy. Petra zaczynała rozumieć ideę tworzenia wzorów myślowych — w dziecinny sposób, czego można było się spodziewać — często rozpoznawalnych, choć zniekształconych. Największy kłopot sprawiała jej konieczność osłabienia przekazu: gdy była podekscytowana, jego siła była niemal ogłuszająca. Pozostali narzekali, że nie mogą pracować, kiedy my dwoje ćwiczymy — jakby próbowali ignorować nagłe łomotanie w głowie.

Pod koniec lekcji oznajmiłem Petrze:

— Teraz powiem Rosalind, żeby przesłała ci jakiś myślowy obraz. Zamknij oczy tak jak poprzednio.

— Gdzie jest Rosalind? — zapytała, rozglądając się.

— Nie ma jej tutaj, ale z obrazkami myślowymi to nie ma znaczenia. No, spójrz w ciemność i nie myśl o niczym.

— A wy wszyscy — dodałem, zwracając się w myślach do pozostałych — po prostu się wyłączcie, dobrze? Zostawcie przekaz Rosalind i nie przerywajcie. Nadawaj, Rosalind, jasno i wyraźnie.

Siedzieliśmy, milcząc, gotowi odebrać przekaz.

Rosalind stworzyła w myślach staw otoczony trzcinami. Umieściła w nim kilka kaczek — przyjaznych, dobrodusznie wyglądających kaczek o różnobarwnym upierzeniu. Pływały jak w balecie, prócz jednej niezgrabnej, ale pełnej dobrych chęci kaczuszki, która zawsze trochę się spóźniała i gubiła rytm. Petra była zachwycona. Gaworzyła radośnie. Potem nagle przesłała swój zachwyt; skasowała cały obraz i znów nas oślepiła. Było to męczące dla wszystkich, ale robione przez nią postępy dodawały nam otuchy.

Na czwartej lekcji nauczyła się oczyszczać umysł, nie zamykając oczu, co było sporym krokiem naprzód. Do końca tygodnia poczyniliśmy duże postępy. Wprawdzie tworzone przez nią myślowe obrazy wciąż były toporne i nietrwałe, ale coraz lepsze, a proste przekazy odbierała dość dobrze, chociaż nadal niewiele wychwytywała tych, które wymienialiśmy między sobą.

— Zbyt trudno widzieć wszystkie od razu i są za szybkie — powiedziała. — Potrafię powiedzieć, czy robisz to ty, Rosalind, Michael czy Sally, ale jak robicie to szybko, wszyscy mi się zacieracie. Chociaż ci inni zacierają się jeszcze bardziej.

— Jacy inni? Katherine i Mark? — zapytałem.

— Och nie. Ich odróżniam. Ci inni. Tacy, którzy są daleko — odparła zniecierpliwiona.

Postanowiłem przyjąć to spokojnie.

— Nie sądzę, żebym ich znał. Kim oni są?

— Nie wiem — odparła. — Ty ich nie słyszysz? Są tam, ale bardzo, bardzo daleko.

Wskazała na południowy zachód.

Zastanawiałem się nad tym przez długą chwilę.

— Czy przesyłają teraz? — zapytałem.

— Tak, ale słabo — odrzekła.

Usiłowałem coś wychwycić, ale nie zdołałem.

— Może spróbowałabyś przesłać mi to, co od nich odbierasz? — zaproponowałem.

Spróbowała. Był tam jakiś przekaz, i to takiej jakości, jakiej nikt z nas nie mógł uzyskać. Jednak niezrozumiały i bardzo niewyraźny — pomyślałem, że może dlatego, że Petra próbowała przesłać coś, czego sama nie rozumiała. Ja nie zdołałem nic z tego wywnioskować i wezwałem do pomocy Rosalind, ale jej też się nie udało. A wychwytywanie przekazu wyraźnie męczyło

Petrę, więc po kilku minutach postanowiliśmy na razie dać temu spokój.

Choć Petra nadal chwilami miała skłonność do wysłania przekazu, który można porównać jedynie do ogłuszającego wrzasku, to wszyscy czuliśmy zasłużoną dumę z jej postępów. Byliśmy również podekscytowani — jakbyśmy odkryli jakąś nieznaną osobę i wiedzieli, że jej przeznaczeniem jest zostać wielką gwiazdą; tylko że było to coś znacznie ważniejszego...

— To — orzekł Michael — będzie naprawdę bardzo interesujące, jeśli Petra nie wykończy nas wszystkich, nim nad tym zapanuje.

Przy kolacji, jakieś dziesięć dni po utracie kucyka Petry, wuj Axel poprosił, żebym pomógł mu naprawić koło, dopóki jest jeszcze jasno. Pozornie była to niewinna prośba, lecz coś w jego oczach sprawiło, że zgodziłem się bez wahania. Poszedłem za nim na podwórze i za stóg siana, gdzie nikt nie mógł nas zobaczyć ani podsłuchać. Wetknął słomkę do ust i spojrzał na mnie poważnie.

— Byłeś nieostrożny, Davie? — zapytał.

Były różne rodzaje nieostrożności, ale tylko o jeden mógł pytać mnie w taki sposób.

— Nie sądzę — odparłem.

— Może więc ktoś z pozostałych? — dociekał.

Ponownie powiedziałem, że nie sądzę.

— Hm — mruknął. — Zatem dlaczego, twoim zdaniem, Joe Darley wypytuje o ciebie? Jak myślisz?

Nie miałem pojęcia dlaczego i powiedziałem to wujowi. Pokręcił głową.

— Nie podoba mi się to, chłopcze.

— Tylko o mnie czy o pozostałych także? — spytałem.

— O ciebie — i o Rosalind Morton.

— Och — mruknąłem zaniepokojony. — Chociaż jeśli to tylko Joe Darley… Może usłyszał o nas jakieś plotki i chce wywołać skandal?

— Możliwe — przyznał wuj Axel, ale bez przekonania. — Z drugiej strony Joe to facet, którym inspektor już wcześniej się posługiwał, gdy chciał po cichu przeprowadzić jakieś śledztwo. Nie podoba mi się to.

Mnie też się to nie podobało. Jednak Joe nie spytał bezpośrednio nikogo z nas, a nie wyobrażałem sobie, żeby gdzie indziej mógł zdobyć jakieś obciążające nas informacje. Stwierdziłem, że nie może przyczepić nam niczego, co znajdowałoby się w wykazie dewiacji.

Wuj Axel potrząsnął głową.

— Te wykazy są otwarte, a nie zamknięte — rzekł. — Nie można przewidzieć miliona różnych możliwości, tylko te najczęstsze. Nowe zbiory są sprawdzane pod kątem nowych odstępstw. Do obowiązków inspektora należy ich pilnowanie i wszczynanie śledztwa, jeśli uzyskane informacje zdają się to uzasadniać.

— Zastanawialiśmy się nad tym, co może się stać — powiedziałem. — Jeśli zaczną mieć jakieś wątpliwości, to i tak nie będą wiedzieli, czego szukać. Musimy tylko udawać zaskoczonych, jak każdy normalny. Joe czy ktokolwiek inny może mieć tylko jakieś podejrzenia, ale nie solidne dowody.

Wuj nie wydawał się tego pewny.

— Jest Rachel — podsunął. — Była bardzo wstrząśnięta samobójstwem siostry. Czy myślisz, że…?

— Nie — odparłem z przekonaniem. — Niezależnie od tego, że nie mogłaby tego zrobić, nie obciążając siebie, to wiedzielibyśmy, gdyby coś ukrywała.

— No cóż, zatem jest jeszcze mała Petra — rzekł.

Spojrzałem na niego zdumiony.

— Skąd wiesz o Petrze? — spytałem. — Ja ci nie mówiłem.

Z satysfakcją pokiwał głową.

— A więc ona też. Tak podejrzewałem.

— Jak to odkryłeś? — zapytałem ponownie, zastanawiając się, kto jeszcze mógł na to wpaść. — Powiedziała ci?

— Och nie, sam do tego doszedłem. — Zamilkł, a potem dodał: — Pośrednio przez Anne. Mówiłem ci, że nie można jej pozwolić, by wyszła za tego chłopaka. Są kobiety, które nie spoczną, póki nie staną się niewolnicą i podnóżkiem mężczyzny — póki całkowicie nie oddadzą się pod jego władzę. Ona taka była.

— Nie chcesz... chyba nie myślisz, że powiedziała o sobie Alanowi? — zaprotestowałem.

— Powiedziała. — Skinął głową. — I zrobiła coś więcej. Powiedziała mu o was wszystkich.

Gapiłem się na niego z niedowierzaniem.

— Nie możesz być tego pewny, wuju Axelu.

— Jestem pewny, Davie. Może nie zamierzała. Może powiedziała mu tylko o sobie, bo nie umiała dochować tajemnicy w łóżku. A może musiał wydusić z niej nazwiska pozostałych, ale je znał. Wiedział o was.

— Nawet jeśli tak, to skąd ty o tym wiesz? — zapytałem z rosnącym niepokojem.

Zaczął wspominać:

— Jakiś czas temu na nabrzeżu w Rigo była tawerna. Prowadził ją niejaki Grouth, i to z dużym zyskiem. Zatrudniał trzy dziewczyny i dwóch mężczyzn. Robili wszystko, co im kazał — wszystko. Gdyby wyjawił wszystko, co o nich wiedział, to jeden z tych mężczyzn zostałby powieszony za bunt na okręcie, a dwie dziewczyny za morderstwo. Nie wiem, co zrobili pozostali, ale miał ich wszystkich w garści. Najlepszy przykład szantażu, jaki można sobie wyobrazić. Jeśli mężczyźni dostawali jakieś napiwki, zabierał je. Pilnował, by dziewczyny były miłe dla przychodzących tam marynarzy, i także zabierał im wszystko, co zarabiały. Widziałem, jak traktuje pracowników, i wyraz jego twarzy, gdy ich obserwował; rozkoszował się tym, że ma ich w garści i że oni o tym wiedzą. Wystarczyło, by zmarszczył brwi, a tańczyli, jak im zagrał. – Wuj Axel zamyślił się na chwilę. – Nigdy byś nie pomyślał, że można ujrzeć taki wyraz twarzy, i to u człowieka w kościele w Waknuk, prawda? Widząc go, poczułem się dziwnie. Jednak zobaczyłem go. Na jego twarzy, gdy przyglądał się Rosalind, potem Rachel, tobie i małej Petrze. Nie interesował go nikt inny. Tylko wasza czwórka.

– Mogłeś się pomylić. Sam wyraz twarzy… – zacząłem.

– Nie taki. O nie, poznałem ten wyraz twarzy i jakbym nagle przeniósł się z powrotem do tej tawerny w Rigo. Ponadto, gdybym nie miał racji, to skąd wiedziałbym o Petrze?

– Co zrobiłeś?

– Wróciłem do domu i rozmyślałem trochę o Groucie, o tym, jakie wygodne wiódł życie, oraz o paru innych sprawach. Potem nałożyłem nową cięciwę na łuk.

– A więc to byłeś ty! – wykrzyknąłem.

– Tylko to można było zrobić, Davie. Oczywiście wiedziałem, że Anne będzie uważała, że zrobiło to jedno z was. Jednak nie mogła was zadenuncjować, nie wydając także siebie i swojej siostry. Ryzykowałem, ale musiałem to zrobić.

– Z pewnością, i niewiele brakowało, byś ryzykował na próżno – rzekłem i opowiedziałem mu o liście, który Anne zostawiła dla inspektora.

Pokręcił głową.

– Nie przypuszczałem, że posunie się tak daleko, biedaczka – rzekł. – Mimo wszystko trzeba było to zrobić, i to szybko. Alan nie był głupi. Zabezpieczyłby się. Zanim zacząłby was szantażować, złożyłby gdzieś w depozycie pisemne zeznanie, które miałoby być otwarte po jego śmierci, i dopilnowałby, żebyście o tym wiedzieli. Wszyscy znaleźlibyście się w bardzo trudnej sytuacji.

Im dłużej o tym myślałem, tym lepiej rozumiałem w jak trudnej.

— Bardzo dla nas ryzykowałeś, wuju Axelu — powiedziałem. Wzruszył ramionami.

— Niewielkie ryzyko dla mnie, a ogromne dla was — rzekł. W końcu wróciliśmy do bieżącej kwestii.

— Przecież to wypytywanie nie może mieć nic wspólnego z Alanem. Zginął wiele tygodni temu — przypomniałem.

— Ponadto Alan z nikim nie podzieliłby się tą informacją, jeśli chciał czerpać z niej korzyści — potwierdził wuj Axel. — Jedno jest pewne — ciągnął — niewiele wiedzą, inaczej już otworzyliby śledztwo, a żeby to zrobić, musieliby być bardzo pewni swego. Inspektor nie zaryzykowałby przegranej w rozgrywce z twoim ojcem — ani z Angusem Mortonem. To jednak wcale nam nie wyjaśnia, co wzbudziło ich podejrzenia.

Znów zacząłem myśleć, że musiało to mieć coś wspólnego ze sprawą kucyka Petry. Wuj Axel oczywiście wiedział o jego śmierci, ale niewiele więcej. Inaczej trzeba byłoby mu powiedzieć o zdolnościach Petry, a mieliśmy milczącą umowę, że im mniej o nas wie, tym łatwiej zdoła to ukryć w razie kłopotów. Teraz jednak, ponieważ już wiedział o Petrze, opisałem mu to zdarzenie dokładniej. Nie wydało nam się prawdopodobną przyczyną, ale z braku innej odnotował w pamięci nazwisko tamtego mężczyzny.

— Jerome Skinner — powtórzył bez przekonania. — Bardzo dobrze, zobaczę, czy uda mi się czegoś o nim dowiedzieć.

Wszyscy naradzaliśmy się tej nocy, ale niczego nie wymyśliliśmy. Michael powiedział:

— Cóż, jeśli ty i Rosalind jesteście najzupełniej pewni, że podejrzeń nie wzbudziło coś w waszym okręgu, to nie sądzę, by trop mógł biec do kogokolwiek poza tym napotkanym w lesie mężczyzną. — Posłużył się myślowym obrazem, nie trudząc się literowaniem nazwiska „Jerome Skinner". — Jeśli to on jest źródłem kłopotów, to widocznie powiadomił o swoich podejrzeniach inspektora tamtejszego okręgu, a ten rutynowo przekazał raport o tym waszemu inspektorowi. To oznacza, że kilka osób już się nad tym zastanawia i zaczną tu wypytywać o Sally i Katherine. Pech w tym, że wszyscy są teraz podejrzliwsi niż zwykle z powodu pogłosek o najeździe hord z Obrzeży. Zobaczę, czego uda mi się jutro dowiedzieć, i dam wam znać.

— A co powinniśmy teraz zrobić? — wtrąciła Rosalind.

— Na razie nic — poradził Michael. — Jeśli się nie mylimy co do źródła tych kłopotów, to mamy dwie grupy: w jednej Sally i Katherine, a w drugiej ty, David i Petra; pozostała trójka nie jest w to wplątana. Nie róbcie niczego nadzwyczajnego, inaczej możecie jeszcze wzmocnić ich podejrzenia. Jeśli dojdzie do śledztwa, to powinniśmy ich zwieść, zachowując się zupełnie normalnie, tak jak uzgodniliśmy. Jednak Petra to słaby punkt: jest za młoda, żeby rozumieć. Jeśli się do niej dobiorą, omotają ją i zdemaskują, dla nas wszystkich może się to skończyć sterylizacją i wygnaniem na Obrzeża...

To czyni z niej nasz słaby punkt — ciągnął. — N i e m o g ą j e j d o p a ś ć. Może jeszcze się nią nie interesują, ale była tam, więc mogą ją podejrzewać. Jeśli zauważymy jakieś tego oznaki, najlepiej będzie zrejterować w porę i wywieźć ją stąd — bo jeśli zaczną ją przesłuchiwać, to w taki czy inny sposób wszystko z niej wyciągną.

Bardzo możliwe, że wszystko się rozejdzie po kościach — mówił Michael — ale gdyby było źle, to David będzie musiał interweniować. Twoim zadaniem, Davidzie, będzie nie dopuścić — za wszelką cenę — żeby zabrano ją na przesłuchanie. Jeśli będziesz musiał kogoś zabić, żeby to uniemożliwić, to trudno.

Oni nie zawahają się nas zabić, jeśli znajdą jakieś uzasadnienie. Nie zapominaj, że jeśli podejmą działania, to żeby nas zlikwidować — powoli lub szybko.

Jeśli dojdzie do najgorszego i nie zdołasz uratować Petry — dodał na koniec — lepiej będzie ją zabić, niż pozwolić, by ją wysterylizowano i wygnano na Obrzeża. W wypadku dziecka śmierć jest miłosierniejszym rozwiązaniem. Rozumiesz? Czy reszta się zgadza?

Wyrazili zgodę.

Wyobraziłem sobie małą Petrę, okaleczoną i porzuconą nago na Obrzeżach na pastwę losu, i również się zgodziłem.

— Bardzo dobrze — ciągnął Michael. — Zatem na wszelki wypadek byłoby najlepiej, gdybyście wszyscy czworo byli przygotowani do ucieczki z Petrą, jeśli zajdzie taka potrzeba.

Zaczął wyjaśniać to szczegółowo.

Trudno powiedzieć, czy mogliśmy wybrać inny sposób. Jakieś pochopne działanie kogokolwiek z nas natychmiast ściągnęłoby kłopoty na pozostałych. Mieliśmy pecha, że wiadomość o śledztwie otrzymaliśmy dopiero wtedy, a nie dwa lub trzy dni wcześniej...

Rozdział 12

Ta dyskusja i rady Michaela uczyniły groźbę zdemaskowania bardziej realną i nieuchronną, niż wydawała mi się wcześniej, gdy rozmawiałem tamtego wieczoru z wujem Axelem. W jakiś sposób uzmysłowiła mi, że pewnego dnia będziemy musieli stawić czoło tej sytuacji — gdy zagrożenie nie rozejdzie się po kościach i nie minie, pozostawiając nas takimi jak przedtem. Wiedziałem, że Michael mniej więcej od roku jest coraz bardziej zaniepokojony, jakby wyczuwał, że czas nagli — a ja teraz też miałem takie wrażenie. Do tego stopnia, że zanim tej nocy poszedłem spać, w końcu poczyniłem pewne przygotowania: położyłem na podorędziu łuk oraz kilka tuzinów strzał i znalazłem worek, do którego włożyłem kilka bochenków chleba i ser. Postanowiłem, że nazajutrz przygotuję sobie zmianę odzieży, buty i inne rzeczy, które mogą się przydać, po czym schowam wszystko w jakimś suchym, bezpiecznym miejscu poza domem. Ponadto będziemy potrzebowali trochę odzieży dla Petry, kilka koców oraz jakiś pojemnik na wodę do picia i musimy pamiętać, żeby zabrać krzesiwo i hubkę…

Wciąż układałem w myślach listę potrzebnego ekwipunku, gdy zmorzył mnie sen...

Na pewno minęły nie więcej niż trzy godziny, gdy zbudził mnie szczęk rygla u moich drzwi. Noc była bezksiężycowa, lecz w blasku gwiazd ujrzałem w drzwiach małą postać w białej nocnej koszuli.

— Davidzie — powiedziała. — Rosalind...

Jednak nie musiała mi mówić. Rosalind już słała pospiesznie:

— Davidzie, musimy natychmiast uciekać, najszybciej jak się da. Zabrali Sally i Katherine...

Wtrącił się Michael:

— Pospieszcie się oboje, póki czas. Chcieli nas zaskoczyć. Jeśli istotnie tyle o nas wiedzą, to z pewnością wysłali oddział również po was — zanim ktoś was ostrzeże. U Sally i Katherine byli niemal jednocześnie zaledwie dziesięć minut temu. Ruszajcie się, szybko!

— Spotkamy się poniżej młyna. Pospiesz się — dodała Rosalind.

Powiedziałem Petrze słowami:

— Ubierz się jak najszybciej. Włóż kombinezon. I zrób to po cichu.

Bardzo możliwe, że nie zrozumiała słanych przez nas myśli, ale wyczuła potrzebę pośpiechu. Kiwnęła głową i znikła w ciemnym korytarzu.

Ubrałem się i zwinąłem koce w rulon. Po omacku odszukałem łuk, strzały oraz worek z prowiantem, po czym ruszyłem do drzwi.

Petra była już prawie ubrana. Wziąłem trochę ubrań z jej szafy i zawinąłem je w koce.

— Jeszcze nie wkładaj butów — szepnąłem. — Trzymaj je w ręku i idź na palcach, jak kot.

Na podwórzu odłożyłem zrolowane koce oraz worek i oboje wzuliśmy buty. Petra zaczęła coś mówić, ale przyłożyłem palec do ust i posłałem jej myślowy obraz Sheby, karej klaczy. Skinęła głową i na palcach przeszliśmy przez podwórze. Właśnie otworzyłem drzwi stajni, gdy w oddali usłyszałem jakiś dźwięk i przystanąłem, nasłuchując.

— Konie — szepnęła Petra.

To były konie. Słyszałem stukot kopyt i ciche pobrzękiwanie uprzęży.

Nie było czasu na szukanie siodła i uzdy dla Sheby. Wyprowadziliśmy ją na kantarze i dosiedliśmy na oklep. Trzymałem tobołki, więc przede mną nie było miejsca dla Petry. Usiadła za mną i objęła mnie w talii.

Po cichu wymknęliśmy się z podwórza i ruszyliśmy ścieżką, rozpoczynającą się na jego drugim końcu i prowadzącą na brzeg rzeki. Na trakcie słyszeliśmy stukot kopyt zbliżających się do domu koni.

— Jesteś w drodze? — spytałem Rosalind i powiadomiłem ją, co się z nami dzieje.

— Od dziesięciu minut. Miałam wszystko przygotowane — powiedziała mi karcąco. — Wszyscy cholernie się natrudziliśmy, usiłując się z tobą skontaktować. Całe szczęście, że zbudziła się Petra.

Petra wychwyciła myślowy obraz jej postaci i przerwała nam podekscytowana, chcąc wiedzieć, co się dzieje. To było jak fontanna iskier.

— Delikatnie, kochanie. O wiele delikatniej — zaprotestowała Rosalind. — Wkrótce wszystko ci o tym opowiemy. — Ucichła na moment, dochodząc do siebie. — Sally...? Katherine...? — spytała.

Odpowiedziały razem:

— Zabierają nas do inspektora. Jesteśmy niewinne i zaskoczone. Czy tak będzie najlepiej?

Michael i Rosalind zgodzili się, że tak.

— Uważamy — ciągnęła Sally — że powinnyśmy zamknąć przed wami nasze umysły. Tak będzie nam łatwiej udawać, że jesteśmy normalne i naprawdę nie rozumiemy, o co chodzi. Dlatego niech nikt z was nie próbuje się z nami kontaktować.

— Bardzo dobrze, ale my pozostaniemy dla was otwarci — zdecydowała Rosalind. Skierowała swe myśli do mnie. — Ruszajcie się, Davidzie. Na farmie zapaliły się światła.

— Wszystko w porządku. Jedziemy — przesłałem jej. — I tak trochę potrwa, zanim w tych ciemnościach ustalą, w którym kierunku pojechaliśmy.

— Znajdą ciepłą stajnię i zorientują się, że nie odjechaliście daleko — przypomniała.

Spojrzałem za siebie. Zobaczyłem światło w oknie domu i lampę kołyszącą się w czyjejś dłoni. Doleciał nas cichy męski głos nawołujący w oddali. Dotarliśmy już do brzegu rzeki i mogłem popędzić Shebę do kłusa. Jechaliśmy tak przez pół mili, aż dotarliśmy do brodu, a potem jeszcze ćwierć mili do młyna. Wydawało się, że przezorniej będzie przeprowadzić klacz obok niego, na wypadek gdyby ktoś tam nie spał. Za murem słyszeliśmy psa na łańcuchu, ale nie zaszczekał. W końcu odebrałem poczucie ulgi Rosalind. Była gdzieś niedaleko przed nami.

Znów pojechaliśmy kłusem i po chwili dostrzegłem jakiś ruch pod drzewami przy trakcie. Skierowałem tam klacz i znalazłem czekającą na nas Rosalind — i nie tylko ją, ale także parę wielkich koni jej ojca. Te ogromne zwierzęta górowały nad nami i oba miały na grzbietach duże kosze transportowe. Rosalind stała w jednym z nich, a w poprzek niego leżał na podoręrędziu łuk z nałożoną cięciwą.

Podjechałem blisko niej, a ona wychyliła się z kosza, żeby zobaczyć, co przywiozłem.

— Podaj mi te koce — poleciła, wyciągając rękę. — Co jest w worku?

Powiedziałem.

— Chcesz powiedzieć, że to wszystko, co zabrałeś? — zapytała z dezaprobatą.

— Trochę się spieszyłem — przypomniałem.

Umościła z koców siedzenie pomiędzy koszami. Podniosłem Petrę, a Rosalind złapała ja za ręce. Razem pomogliśmy jej się wgramolić i usadowić na kocach.

— Lepiej trzymajmy się razem — powiedziała Rosalind. — Przygotowałam ci miejsce w drugim koszu. Możesz z niego strzelać lewą ręką.

Po lewym boku wielkiego konia spuściła coś w rodzaju miniaturowej drabinki sznurowej.

Zsunąłem się z Sheby, obróciłem ją łbem w stronę domu i popędziłem uderzeniem dłoni, a potem niezgrabnie wspiąłem się do drugiego kosza. Gdy tylko wyjąłem stopę z drabinki, Rosalind wciągnęła ją i zwinęła. Szarpnęła wodze i zanim dobrze usiadłem w koszu, już ruszyliśmy; drugi koń podążał za nami uwiązany na postronku.

Przez chwilę jechaliśmy kłusem, a potem zboczyliśmy z traktu ku strumieniowi. W miejscu, gdzie wpadał doń drugi, skręciliśmy w ten dopływ. Później opuściliśmy go i pojechaliśmy po podmokłym terenie do następnego strumienia. Podążaliśmy jego korytem przez pół mili lub więcej, a potem wyjechaliśmy na kolejny pas nierównego, bagiennego terenu, który niebawem stał się twardszy, aż w końcu kopyta koni zaczęły stukać o kamienie. Zwolniliśmy jeszcze bardziej, gdy konie musiały odnajdywać krętą drogę wśród skał. Uświadomiłem sobie, że Rosalind starannie zaplanowała trasę ucieczki, by ukryć nasze ślady. Widocznie bezwiednie przesłałem tę myśl, bo odpowiedziała nieco chłodno:

— Szkoda, że trochę więcej nie myślałeś, zamiast spać.

— Zacząłem planować — zaprotestowałem — i zamierzałem dziś wszystko przygotować. Nie sądziłem, że to takie pilne.

— I kiedy próbowałam się z tobą naradzić, spałeś jak suseł. Bite dwie godziny pakowałam z matką te kosze i szykowałam konie do drogi, a ty sobie spałeś.

— Z matką? — spytałem, zaskoczony. — Czy ona wie?

— Tak jakby wiedziała, a w każdym razie domyślała się od pewnego czasu. Nie wiem, ile odgadła — nigdy o tym nie mówiła. Moim zdaniem uważała, że dopóki tego nie powie, to wszystko będzie w porządku. Kiedy dziś wieczorem powiedziałam jej, że prawdopodobnie będę musiała wyjechać, rozpłakała się — ale wcale nie była zdziwiona i nie próbowała się spierać ani mnie powstrzymywać. Miałam wrażenie, że w głębi duszy już wcześniej zdecydowała, że pewnego dnia mi pomoże, gdy nadejdzie na to czas — i zrobiła to.

Zastanowiłem się nad tym. Nie potrafiłem sobie wyobrazić, żeby moja matka zrobiła coś takiego dla Petry. Chociaż płakała po tym, jak oboje odprawili ciotkę Harriet z niczym. A ciotka Harriet była więcej niż gotowa złamać prawa czystości. Tak jak matka Sophie. To rodziło pytanie, jak wiele matek było gotowych przymknąć oko w przypadkach nienaruszających definicji wiernego obrazu — a może i takich, które ją naruszały, jeśli można było zwieść inspektora... Zastanawiałem się także, czy matka skrycie cieszy się lub smuci tym, że zabrałem Petrę...

Kluczyliśmy, jadąc trasą wybraną przez Rosalind, żeby zmylić pościg. Pokonywaliśmy kolejne kamieniste miejsca i strumienie, aż w końcu wjechaliśmy na stromy brzeg i do lasu. Niebawem napotkaliśmy trakt biegnący na południowy zachód. Nie chcieliśmy ryzykować zostawiania na nim śladów kopyt wielkich koni, więc podążyliśmy równolegle do niego, dopóki niebo nie zaczęło szarzeć. Wtedy wjechaliśmy głębiej w las, aż znaleźliśmy polanę, na której rosła trawa odpowiednia dla koni. Spętaliśmy je tam i daliśmy im się paść.

Gdy posililiśmy się chlebem i serem, Rosalind powiedziała:

— Ponieważ wyspałeś się wcześniej, powinieneś objąć pierwszą wartę.

Ona i Petra wygodnie opatuliły się kocami i wkrótce zasnęły. Ja siedziałem, mając na kolanach łuk z nałożoną cięciwą, a pod ręką kilka wetkniętych w ziemię strzał. Słychać było tylko ptaki, czasem szmery jakichś leśnych zwierzątek oraz chrzęst trawy przeżuwanej przez te wielkie konie. Słońce wzniosło się między rzadsze gałęzie i zaczęło dawać więcej ciepła. Od czasu do czasu wstawałem i po cichu obchodziłem polanę brzegiem lasu, trzymając strzałę na cięciwie. Nie odkryłem niczego, ale to pomagało mi nie zasnąć. Po paru godzinach odezwał się Michael.

— Gdzie teraz jesteście? — zapytał.

Wyjaśniłem najlepiej jak mogłem.

— Dokąd zmierzacie? — chciał wiedzieć.

— Na południowy zachód — odparłem. — Zamierzamy jechać nocą, a odpoczywać w dzień.

Poparł to, ale ostrzegł:

— Problem w tym, że z powodu groźby ataku z Obrzeży będzie tam mnóstwo patroli. Nie wiem, czy Rosalind mądrze postąpiła, zabierając te wielkie konie — jeśli ktoś je zobaczy, wieść o tym rozejdzie się błyskawicznie, wystarczą ślady ich kopyt.

— Zwykłe konie są od nich szybsze na krótkich dystansach — przyznałem — ale nie mogą się z nimi równać wytrzymałością.

— A tej możecie potrzebować. Szczerze mówiąc, Davidzie, będziecie też potrzebowali dużo sprytu. Tu rozpętało się piekło. Widocznie dowiedzieli się o was więcej, niż sądziliśmy, chociaż jeszcze nie dobrali się do Marka, Rachel i mnie. Jednak są bardzo zaniepokojeni. Zamierzają wysłać za wami kilka oddziałów pościgowych. Postanowiłem natychmiast zgłosić się na ochotnika do jednego z nich. Sprokuruję doniesienie, że widziano was jadących na południowy wschód. Kiedy się zorientują, Mark rozpuści plotkę, która skieruje ich na północny zachód. Jeśli ktoś was zobaczy — ciągnął — musicie za wszelką cenę uniemożliwić mu przekazanie tej wiadomości. Ale nie strzelajcie. Wydano rozkaz, by używać broni palnej tylko w razie konieczności i do sygnalizacji, więc każdy wystrzał będzie sprawdzany.

— Żaden problem. Nie mamy strzelby — przesłałem Michaelowi.

— Tym lepiej. Nie będzie was kusiło, by jej użyć — a oni myślą, że ją macie.

Po namyśle postanowiłem nie brać strzelby, częściowo ze względu na huk, ale głównie dlatego, że powoli się ją ładuje, jest ciężka i bezużyteczna, gdy zabraknie prochu. Strzały nie mają takiego zasięgu, ale są ciche i można ich wypuścić tuzin lub więcej, zanim przeciwnik ponownie nabije broń.

Mark przesłał:

— Odebrałem to. Kiedy będzie trzeba, rozpuszczę plotkę, że widziano, jak jedziecie na północny zachód.

— Dobrze. Jednak dopiero wtedy, gdy ci powiem.

— Pewnie Rosalind teraz śpi? Kiedy się obudzi, przekaż jej, żeby się ze mną skontaktowała, dobrze?

Obiecałem to zrobić i wszyscy na jakiś czas przestaliśmy słać.

Pełniłem wartę jeszcze przez parę godzin, a potem zbudziłem Rosalind, żeby objęła następną. Petra nawet się nie poruszyła. Położyłem się obok niej i zasnąłem w minutę lub dwie.

* * *

Może spałem czujnie, a może tylko przypadkiem zbudziłem się w porę, aby złapać myśl Rosalind.

— Zabiłam go, Michaelu. Jest zupełnie martwy...

W panice słała chaos myślowych obrazów.

Michael odpowiedział stanowczo i uspokajająco:

— Nie przejmuj się, Rosalind. Musiałaś to zrobić. To wojna między nami a nimi. Nie my ją rozpoczęliśmy — i mamy takie samo prawo do życia jak oni. Nie powinnaś się tym przejmować, droga Rosalind: musiałaś to zrobić.

— Co się stało? — spytałem, siadając.

Zignorowali mnie albo byli zbyt zajęci, żeby zwrócić na mnie uwagę.

Rozejrzałem się po polanie. Petra leżała obok mnie i wciąż spała; wielkie konie niewzruszone skubały trawę. Michael odezwał się znowu:

— Ukryj go, Rosalind. Spróbuj znaleźć jakieś wgłębienie i zasyp ciało liśćmi.

Chwila ciszy. Potem Rosalind, już opanowawszy panikę, lecz nadal zrozpaczona, zgodziła się to zrobić.

Wstałem, wziąłem łuk i poszedłem przez polanę tam, gdzie — jak przypuszczałem — leżał zabity. Gdy dotarłem na skraj lasu, uświadomiłem sobie, że zostawiam Petrę bez opieki, więc nie poszedłem dalej.

Rosalind w końcu wyszła z krzaków. Szła powoli, wycierając strzałę garścią liści.

— Co się stało? — spytałem ponownie.

Ona jednak chyba znów straciła kontrolę nad tworzonymi obrazami, bo były pogmatwane i zniekształcone przez jej emocje. Gdy podeszła bliżej, użyła zwykłej mowy:

— To był mężczyzna. Znalazł ślady koni. Widziałam, jak po nich szedł. Michael mówił... Och, nie chciałam tego, Davidzie, ale co innego mogłam zrobić...?

Miała oczy pełne łez. Objąłem ją i pozwoliłem jej się wypłakać na moim ramieniu. Niewiele mogłem zrobić, żeby ją pocieszyć. Jedynie zapewnić ją, tak samo jak Michael, że zrobiła to, co było absolutnie konieczne. Po jakimś czasie powoli wróciliśmy do obozu. Usiadła obok wciąż śpiącej Petry.

Coś mi przyszło do głowy i zapytałem:

— A co z jego koniem, Rosalind? Uciekł?

Potrząsnęła głową.

— Nie wiem. Pewnie miał konia, ale kiedy go zobaczyłam, tropił nas na piechotę.

Pomyślałem, że lepiej będzie wrócić po naszych śladach i sprawdzić, czy zostawił gdzieś uwiązanego konia. Przeszedłem pół mili, ale nie znalazłem żadnego wierzchowca, ani świeżego śladu kopyt poza tymi pozostawionymi przez nasze wielkie konie. Kiedy wróciłem do obozu, Petra już nie spała i rozmawiała z Rosalind.

Dzień mijał. Nie odebraliśmy żadnego kolejnego przekazu od Michaela i pozostałych. Pomimo tego, co się tu stało, wydawało się, że bezpieczniej będzie zostać tutaj, niż poruszać się za dnia i ryzykować, że zostaniemy zauważeni. Tak więc czekaliśmy.

Po południu nagle odebraliśmy sygnał.

Nie była to uformowana myśl — bez realnego kształtu, rozpaczliwa jak krzyk cierpienia. Petra jęknęła i z płaczem rzuciła się w ramiona Rosalind. Sygnał był tak silny, że aż bolał. Rosalind i ja spojrzeliśmy na siebie szeroko otwartymi oczami. Ręce mi się trzęsły. Jednak przekaz był tak niewyraźny, że nie mogliśmy ustalić, kto z pozostałych go wysłał.

Potem był galimatias bólu i wstydu przepojony poczuciem beznadziei i osamotnienia, w którym rozpoznaliśmy charakterystyczne wzory myślowe niewątpliwie słane przez Katherine.

Rosalind ujęła moją dłoń i mocno ją ścisnęła. Cierpieliśmy, aż sygnał powoli osłabł i napięcie znikło.

Potem odezwała się Sally, załamana, śląc fale miłości i współczucia Katherine, a następnie, z niepokojem, do pozostałych.

— Złamali Katherine. Złamali ją... Och, Katherine, moja droga... nie możecie jej winić, nikt z was. Proszę, proszę, nie wińcie jej. Torturowali ją. To mogło spotkać każde z nas. Teraz jest nieprzytomna. Nie słyszy nas... Och, Katherine, kochana...

Jej myśli rozpłynęły się w morzu rozpaczy.

Potem odezwał się Michael, z początku niepewnie, ale z każdą chwilą bardziej zdecydowanie niż kiedykolwiek:

— To wojna. Pewnego dnia pozabijam ich za to, co zrobili Katherine.

Przez godzinę lub dłużej nie było nic. Niezbyt przekonująco, ale robiliśmy co w naszej mocy, żeby uspokoić i pocieszyć Petrę. Niewiele rozumiała z tego, co sobie przekazywaliśmy, ale wyczuła napięcie i to wystarczyło, żeby ją wystraszyć.

Potem znów odezwała się Sally; ponuro, z przygnębieniem i przymusem:

— Katherine przyznała się, złożyła zeznania. Ja je potwierdziłam. W końcu i tak by mnie do tego zmusili. Ja... — zawahała się, słabnąc — nie zniosłabym tego. Nie rozżarzonego żelaza, ale bezsensu, skoro już im powiedziała. Nie mogłabym... Wybaczcie mi wszyscy... wybaczcie nam obu... — Znów przerwała.

Michael nadał równie niepewnie, zaniepokojony:

— Sally, kochana, oczywiście, że was nie winimy — żadnej z was. Rozumiemy. Musimy jednak wiedzieć, co im powiedziałyście. Co wiedzą?

— O obrazach myślowych oraz o Davidzie i Rosalind. Co do nich byli prawie pewni, ale chcieli to potwierdzić.

— Co do Petry też?

— Tak... Och, och, och! — napłynęła nieforemna fala wyrzutów sumienia. — Musiałyśmy... biedna mała Petra... ale
o niej też wiedzieli, naprawdę. Ponieważ to mógł być jedyny powód tego, że David i Rosalind zabrali ją ze sobą. Żadne kłam-
stwo by ich nie zwiodło.

— Jeszcze o kimś?

— Nie. Powiedziałyśmy im, że nie ma nikogo więcej. Myślę, że w to uwierzyli. Nadal zadają pytania. Usiłują dowiedzieć się o tym więcej. Chcą wiedzieć, jak tworzymy myślowe
obrazy i jaki mają zasięg. Okłamuję ich. Mówię, że nie większy
niż pięć mil i że wcale nie jest łatwo zrozumieć myśli z tak daleka... Katherine jest ledwie przytomna. Nie może słać myśli.
Oni jednak wciąż wypytują nas obie, bez końca... Gdybyście
widzieli, co jej zrobili... Och, Katherine, kochana... Jej stopy,
Michaelu, och, jej biedne, biedne stopy...

Słane przez Sally wzory zatarła udręka i znikły.

Nikt inny niczego nie wysłał. Myślę, że wszyscy byliśmy zbyt
mocno zranieni i wstrząśnięci. Słowa wybieramy, a potem in-
terpretujemy, ale myślowe obrazy się po prostu czuje...

Słońce stało nisko i zaczęliśmy się pakować, gdy Michael znów
nawiązał kontakt.

— Posłuchajcie — powiedział. — Traktują to naprawdę bardzo poważnie. Strasznie się tym przejęli. Zwykle, jeśli mutant
opuszcza jakiś okręg, zostawiają go w spokoju. Nikt nie zdoła
nigdzie osiąść bez dowodu tożsamości lub bardzo dokładnego
zbadania przez inspektora, więc i tak praktycznie skończy na
Obrzeżach. Jednak ich tak wzburzyło to, że po nas nic nie widać. Żyliśmy wśród nich prawie dwadzieścia lat, a oni niczego
nie podejrzewali. Wszędzie zostalibyśmy uznani za normalnych.

Dlatego rozwieszono obwieszczenia z opisem waszej trójki, oficjalnie uznające was za mutantów. To oznacza, że nie jesteście ludźmi, a więc nie obejmują was żadne prawa ani przepisy chroniące członków społeczeństwa. Każdy, kto pomoże wam w jakikolwiek sposób, popełni przestępstwo, a kto zatai informacje o was, również będzie podlegał karze. W rezultacie czyni to was banitami. Każdy może bezkarnie was zastrzelić. Otrzyma niewielką nagrodę, jeśli to zgłosi i wasza śmierć zostanie potwierdzona, ale o wiele większą nagrodę wyznaczono za ujęcie was żywcem.

Przez chwilę przetrawialiśmy to.

— Nie rozumiem — powiedziała Rosalind. — Przecież jeśli obiecamy, że odjedziemy i nigdy nie wrócimy...?

— Boją się nas. Chcą was złapać i dowiedzieć się o nas więcej, dlatego wyznaczyli taką dużą nagrodę. To nie jest tylko kwestia prawdziwego obrazu — chociaż tak usiłują to przedstawiać. Rozumieją, że możemy być dla nich prawdziwym zagrożeniem. Wyobraźcie sobie, że byłoby nas o wiele więcej, zdolnych do wspólnego myślenia, planowania i koordynowania działań bez całej tej ich maszynerii słów i poleceń; zawsze moglibyśmy ich przechytrzyć. To dla nich bardzo nieprzyjemna myśl, więc mamy zostać zlikwidowani, zanim będzie nas więcej. Uważają to za kwestię przetrwania — i wiecie, mogą mieć rację.

— Zamierzają zabić Sally i Katherine?

To nieopatrzne pytanie wymknęło się Rosalind. Czekaliśmy na odpowiedź którejś z tych dwóch dziewczyn. Nie otrzymaliśmy jej. Nie wiedzieliśmy, co to oznacza: mogły po prostu znów zamknąć umysły, zasnąć z wyczerpania albo już nie żyć...

Michael nie sądził, żeby je zabito.

— Nie ma po temu powodu, skoro są w ich rękach, a zapewne wywołałoby to wiele złej krwi. Oznajmić, że nowo narodzone dziecko nie jest człowiekiem z powodu wad fizycznych, to jedno, ale ta sprawa jest znacznie delikatniejsza. Nie będzie łatwo ludziom, którzy znali je przez wiele lat, pogodzić się z werdyktem, że one nie są istotami ludzkimi. Gdyby je zabito, wzbudziłoby to zbyt wielki niepokój i osłabiło zaufanie do władz — tak samo jak każde prawo działające wstecz.

— Ale nas można spokojnie zabić? — skomentowała z goryczą Rosalind.

— Jeszcze nie zostaliście schwytani i nie znajdujecie się wśród ludzi, którzy was znają. Dla obcych jesteście tylko uciekającymi mutantami.

Niewiele więcej można było dodać. Michael spytał:

— W jakim kierunku ruszycie dziś wieczór?

— Nadal na południowy zachód — powiedziałem. — Zamierzaliśmy zatrzymać się gdzieś w Dzikim Kraju, ale teraz, gdy każdy myśliwy ma prawo nas zastrzelić, myślę, że udamy się prosto na Obrzeża.

— Tak będzie najlepiej — przyznał. — Jeśli zdołacie się tam ukryć na jakiś czas, to może uda nam się sfingować waszą śmierć. Spróbuję coś wymyślić. Jutro pojadę z oddziałem pościgowym, który rusza na południowy wschód. Dam wam znać, co robi. A tymczasem, jeśli natkniecie się na kogoś, starajcie się strzelić pierwsi.

Na tym przerwaliśmy naradę. Rosalind skończyła pakowanie i rozmieściliśmy ekwipunek tak, żeby w koszach jechało się wygodniej niż poprzedniej nocy. Potem wspięliśmy się do nich. Tym razem ja do lewego, a Petra z Rosalind do prawego. Rosalind klepnęła szeroki koński zad i znów powoli ruszyliśmy naprzód. Petra, która podczas pakowania była niezwykle cicha, teraz zalała się łzami i emanowała rozpaczą.

Nie chciała, słała przez łzy, jechać na Obrzeża. Przerażała ją perspektywa napotkania starej Maggie, Włochatego Jacka i jego rodziny oraz innych złowrogich i podobno czających się tam postaci, którymi straszono dzieci.

Byłoby nam łatwiej ją uspokoić, gdybyśmy sami wciąż nie żywili resztek dziecinnych obaw lub mogli przeciwstawić jakiś realistyczny obraz tego rejonu jego paskudnej reputacji. A ponieważ, jak większość ludzi, wiedzieliśmy za mało, by ją przekonać, znów musieliśmy znosić jej rozpacz. Trzeba przyznać, że jej oddziaływanie było mniej dokuczliwe niż poprzednio, a doświadczenie pozwalało nam trochę lepiej się przed nią bronić; mimo to skutek był męczący. Minęło całe pół godziny, zanim Rosalind udało się uciszyć ten obezwładniający harmider. Kiedy tego dokonała, włączyli się inni, zaniepokojeni. Zirytowany Michael dociekał:

— Co tym razem?

Wyjaśniliśmy.

Michael złagodniał i skupił uwagę na Petrze. Zaczął wyjaśniać jej powolnymi, czytelnymi obrazami myślowymi, że Obrzeża wcale nie są takim nawiedzonym miejscem, jak się opowiada. Większość mieszkających tam to po prostu pechowi i nieszczęśliwi ludzie. Zostali zabrani ze swych domów, często w dzieciństwie, a niektórzy z nich, gdy byli zaledwie trochę starsi, musieli uciekać na Obrzeża tylko dlatego, że nie wyglądali jak inni ludzie, i musieli tam zamieszkać, bo nigdzie indziej nie pozostawiono by ich w spokoju. Niektórzy z nich rzeczywiście wyglądają bardzo dziwnie i zabawnie, ale nic na to nie mogą poradzić. Należy im współczuć i nie bać się ich. Gdybyśmy mieli za dużo palców lub uszu, omyłkowo wysłano by nas na Obrzeża — chociaż w głębi duszy bylibyśmy takimi samymi ludźmi jak teraz. To, jak ludzie wyglądają, nie ma większego znaczenia, szybko można do tego przywyknąć i…

Jednak w tym momencie Petra mu przerwała.

— Kim jest ten ktoś? — zapytała.

— Kto? O kogo pytasz? — zdziwił się.

— O tego kogoś, kto śle obrazy myślowe zmieszane z twoimi — powiedziała.

Przestaliśmy słać myśli. Natychmiast szeroko otworzyłem umysł, ale nie wykryłem żadnych myślowych obrazów.

— Niczego nie odbieram — zgłosili po chwili Michael, Mark i Rachel. — To pewnie...

Petra przesłała impulsywny sygnał zniecierpliwienia. Gdyby wyraziła je słowami, byłoby to donośne „Zamknijcie się!".

Zamilkliśmy i czekaliśmy.

Zerknąłem na drugi kosz. Rosalind jedną ręką obejmowała Petrę i bacznie się jej przyglądała. Petra miała zamknięte oczy, jakby całą uwagę skupiła na nasłuchiwaniu. W końcu trochę się odprężyła.

— Co jest? — spytała ją Rosalind.

Petra otworzyła oczy. Odpowiedziała ze zdumieniem i niezbyt jasno:

— Ktoś zadaje pytania. Myślę, że ta kobieta jest bardzo, bardzo daleko stąd. Mówi, że już wcześniej odbierała moje obrazy myślowe. Chce wiedzieć, kim jestem i gdzie. Mam jej powiedzieć?

Zamilkliśmy niepewni, co robić. Po chwili wyraźnie podekscytowany Michael zapytał, czy się zgadzamy. Zgodziliśmy się.

— W porządku, Petro. Możesz jej powiedzieć.

— Będę musiała słać bardzo głośno. Ona jest bardzo daleko stąd — ostrzegła nas Petra.

I dobrze, że to zrobiła. Gdybyśmy mieli szeroko otwarte umysły, kiedy zaczęła nadawać, usmażyłaby je. Zamknąłem swój i usiłowałem skupić uwagę na drodze przed nami. To pomogło, lecz w żadnym razie nie stanowiło wystarczającej osłony. Obrazy były proste, jak można było oczekiwać po osobie w wieku Petry, ale i tak raziły mnie z oślepiającą, ogłuszającą siłą i jasnością.

Kiedy znikły, Michael nadał odpowiednik głośnego „Uff!", który Petra natychmiast skwitowała ponownym ekwiwalentem okrzyku „Zamknijcie się!". Po chwili nastąpiło kolejne krótkie i oślepiające interludium. A po nim:

— Gdzie ona jest? — zapytał Michael.

— Gdzieś tam — powiedziała mu Petra.

— Na miłość boską…

— Wskazała na południowy zachód — wyjaśniłem.

— Czy spytałaś, jak nazywa się to miejsce, kochanie? — zagadnęła ją Rosalind.

— Tak, ale to jakieś nieznane miejsce, które ma dwie części i mnóstwo wody — powiedziała jej Petra słowami i niejasno. — Ona też nie wie, gdzie ja jestem

— Powiedz jej, żeby przesłała obrazy z literami nazwy — podsunęła Rosalind.

— Ale ja nie znam liter — płaczliwie zaprotestowała Petra.

— Och, kochanie, to niedobrze — przyznała Rosalind. — Możemy jednak przynajmniej je słać. Ja będę ci wysyłała jedną literę po drugiej, a ty prześlesz jej te obrazy. Co ty na to?

Petra niepewnie zgodziła się spróbować.

— Dobrze — powiedziała Rosalind. — Uważajcie, wszyscy! Zaczynamy znowu.

Uformowała obraz litery „L". Petra przekazała go z druzgocącą siłą. Potem Rosalind nadała „A" i kolejne litery nazwy. Petra powiedziała nam:

— Ona rozumie, ale nie wie, gdzie jest Labrador. Mówi, że spróbuje się dowiedzieć. Chce nam przesłać swoje obrazy liter, ale powiedziałam jej, że to na nic.

— Wcale nie, kochanie. Odbierzesz je, a potem pokażesz nam — tylko delikatnie — żebyśmy je odczytali.

W końcu otrzymaliśmy pierwszą literę. Była to litera „Z".
Byliśmy rozczarowani.

— Co to jest, do licha? — pytali wszyscy naraz.

— Pokazała ją odwrotnie. To na pewno „S" — orzekł Michael.

— To nie jest „S", tylko „Z" — płaczliwie upierała się Petra.

— Nie zwracaj na nich uwagi. Nie przerywaj — poradziła jej Rosalind.

Odebraliśmy resztę liter.

— No cóż, pozostałe litery są prawidłowe — przyznał Michael. — Sealand, to musi być...

— Nie „S", tylko „Z" — uparcie powtórzyła Petra.

— Kochanie, przecież „Z" w tej nazwie nie ma sensu. A Sealand na pewno oznacza ziemię otoczoną morzem.

— Jeśli to coś pomoże — podsunąłem niepewnie — to według mojego wuja Axela morza jest znacznie więcej, niż ktokolwiek mógłby sobie wyobrazić.

W tym momencie wszystkich nas zagłuszyła urażona Petra, wymieniająca myśli z nieznaną kobietą. Zakończyła tę wymianę, triumfalnie oznajmiając:

— To „Z". Ona mówi, że różni się od „S"; jest jak dźwięk wydawany przez pszczoły.

— No dobrze — pojednawczo rzekł jej Michael — ale spytaj, czy jest tam dużo morza.

Niebawem Petra odparła:

— Tak. To miejsce ma dwie części i mnóstwo morza wokół. Stamtąd, gdzie ona jest, widać, jak słońce oświetla je na wiele, wiele mil, i całe jest niebieskie...

— W środku nocy? — zdziwił się Michael. — To wariatka.

— Tylko że tam, gdzie ona jest, nie ma nocy. Pokazała mi to — rzekła Petra. — Jest tam całe mnóstwo domów, innych niż te w Waknuk i o wiele większych. Po ulicach jeżdżą śmieszne wozy bez koni. A w powietrzu takie rzeczy ze świszczącymi rzeczami na górze...

Z dreszczem emocji rozpoznałem na pół zapomniane obrazy ze snów mojego dzieciństwa. Wtrąciłem się, pokazując wyraźniej to, co przesłała Petra – tę rybokształtną rzecz, całą białą i lśniącą.

– To – to jest to – przyznała.

– W tym wszystkim jest coś bardzo dziwnego – stwierdził Michael. – Davidzie, skąd u licha...

Przerwałem mu:

– Niech Petra pokaże teraz wszystko, co może. Potem to wyjaśnimy.

I znów staraliśmy się wznieść ochronną barierę między nami a najwyraźniej jednostronną wymianą myśli prowadzoną fortissimo przez podekscytowaną Petrę.

Powoli podążaliśmy przez las. Staraliśmy się nie zostawiać śladów na ścieżkach i traktach, więc podróż była uciążliwa. Nie tylko musieliśmy trzymać łuki gotowe do strzału, ale także uważać, żeby nie wypadły nam z rąk, i schylać się pod nisko zwisającymi gałęziami. Ryzyko napotkania kogoś nie było duże, ale mogliśmy się natknąć na jakiegoś polującego drapieżnika. Na szczęście, kiedy rzeczywiście jakieś słyszeliśmy, niezmiennie pospiesznie umykały. Może na widok naszych wielkich koni; jeśli tak, to przynajmniej częściowo rekompensowało to pozostawiane przez nie charakterystyczne ślady kopyt.

W tych stronach letnie noce nie są długie. Posuwaliśmy się z trudem aż do świtu, a potem znaleźliśmy kolejną polanę, na której się zatrzymaliśmy. Rozsiodłanie koni byłoby zbyt ryzykowne; ciężkie juczne siodła i kosze transportowe trzeba by potem podnosić na sznurze przerzuconym przez konar, a to pozbawiłoby nas wszelkich szans na szybką ucieczkę. Musieliśmy po prostu spętać konie, tak jak poprzedniego dnia.

Kiedy jedliśmy, rozmawiałem z Petrą o rzeczach, które pokazała jej nowa przyjaciółka. Im więcej mi mówiła, tym bardziej byłem podekscytowany. Niemal wszystko zgadzało się ze snami, które miewałem we wczesnym dzieciństwie. To utwierdzało mnie w przekonaniu, że takie miejsce naprawdę istnieje, że nie był to tylko sen o Dawnych Ludziach, ale wizja rzeczywistości istniejącej gdzieś na świecie. Jednak Petra była zmęczona, nie wypytywałem jej więc tak długo, jak bym chciał, ale pozwoliłem jej i Rosalind położyć się spać.

Tuż po wschodzie słońca znów odezwał się lekko podenerwowany Michael:

— Wpadli na wasz trop, Davidzie. Mężczyznę, którego zastrzeliła Rosalind, znalazł jego pies i natrafili na ślady kopyt tych wielkich koni. Nasz oddział wraca na południowy zachód, żeby dołączyć do pościgu. Lepiej jedźcie dalej. Gdzie teraz jesteście?

Mogłem mu tylko oznajmić, że według naszych wyliczeń powinniśmy się teraz znajdować kilka mil od Dzikiego Kraju.

— Zatem ruszajcie — przesłał mi. — Im dłużej będziecie zwlekać, tym więcej będą mieli czasu, żeby wysłać tam oddział, który odetnie wam drogę.

Uznałem, że to dobra rada. Zbudziłem Rosalind i wyjaśniłem jej sytuację. Po dziesięciu minutach znów byliśmy w drodze, z na pół śpiącą Petrą. Ponieważ szybkość była teraz ważniejsza niż ukrywanie się, pojechaliśmy pierwszym napotkanym traktem na południe, popędzając konie do ciężkiego kłusa.

Droga była nieco kręta ze względu na ukształtowanie terenu, ale wiodła we właściwym kierunku. Jechaliśmy nią przez całe dziesięć mil bez żadnych problemów, aż nagle, gdy minęliśmy kolejny zakręt, zaledwie pięćdziesiąt jardów przed nami ujrzeliśmy zbliżającego się kłusem jeźdźca.

Rozdział 13

Ten człowiek najwidoczniej nie miał żadnych wątpliwości, kim jesteśmy, bo ledwie nas zobaczył, puścił wodze i zerwał z ramienia łuk. Zanim nałożył strzałę na cięciwę, oboje wypuściliśmy nasze.

Nie byliśmy przyzwyczajeni do rozkołysanego kroku wielkiego konia i chybiliśmy oboje. On celował lepiej. Jego strzała przeleciała między nami, ześliznąwszy się po łbie naszego konia. Ponownie chybiłem, ale druga strzała Rosalind trafiła jego wierzchowca w pierś. Koń stanął dęba, niemal go zrzucając, po czym zawrócił i pognał z powrotem traktem. Posłałem za nim kolejną strzałę i ta trafiła go w zad. Szarpnął się w bok, wyrzucając jeźdźca z siodła jak z katapulty, po czym pomknął traktem najszybciej jak mógł.

Minąłem zrzuconego mężczyznę, nie zatrzymując się. Skulił się, gdy wielkie kopyta zadudniły parę stóp od jego głowy. Na zakręcie obejrzeliśmy się i zobaczyliśmy, że usiadł i obmacuje swoje sińce. Najmniej zadowalającym rezultatem tego zajścia było to, że zraniony koń bez jeźdźca biegł teraz przed nami i mógł zaalarmować całą okolicę.

Parę mil dalej leśne pasmo nagle się skończyło i ujrzeliśmy przed sobą wąską uprawną dolinę. Od drzew po jej drugiej stronie dzieliło nas około półtorej mili otwartego terenu. Jego większość stanowiły pastwiska z owcami i bydłem za ogrodzeniami ze sztachet. Jedno z niewielu pól ornych znajdowało się zaraz po lewej. Młode zboże na nim wyglądało na owies, ale tak zmutowany, że u nas już dawno zostałby spalony.

Ten widok dodał nam otuchy, ponieważ oznaczał, że już prawie dotarliśmy do Dzikiego Kraju, gdzie nie dbano tak o czystość plonów.

Trakt wiódł łagodnie opadającym zboczem ku farmie będącej czymś niewiele lepszym od skupiska chat i szałasów. Na pełniącej funkcję podwórza otwartej przestrzeni między nimi dostrzegliśmy cztery czy pięć kobiet oraz paru mężczyzn zgromadzonych wokół konia. Oglądali go i z łatwością domyśliliśmy się, co to za koń. Najwyraźniej dopiero wrócił i wciąż spierali się, co robić. Postanowiliśmy jechać dalej, nie czekając, aż się uzbroją i zaczną nas szukać.

Byli tak zajęci oględzinami konia, że pokonaliśmy połowę odległości dzielącej farmę od lasu, nim ktokolwiek nas zauważył. Potem jeden z nich spojrzał w naszą stronę i wszyscy pozostali też się odwrócili, by popatrzeć. Nigdy przedtem nie widzieli wielkiego konia i widok dwóch takich zwierząt cwałujących ku nim z gromowym łoskotem kopyt sprawił, że na moment zastygli ze zdumienia. Raniony przez nas koń przerwał ten czar: stanął dęba, zarżał i uciekł, roztrącając ich.

Nie musieliśmy strzelać. Cała grupa rozpierzchła się, szukając schronienia w drzwiach chat, a my niezaczepiani przemknęliśmy przez ich podwórze.

Trakt skręcał w lewo, ale Rosalind skierowała wielkiego konia prosto, na skraj najbliższego pasma lasu. Sztachety odlatywały na boki jak patyczki, gdy ciężkim cwałem pędziliśmy przez pola, pozostawiając za sobą szlak połamanych ogrodzeń. Na skraju lasu spojrzałem za siebie. Mieszkańcy farmy wyszli z kryjówek i gestykulując, spoglądali na nas.

Trzy lub cztery mile dalej wyjechaliśmy na bardziej otwarty teren, lecz niepodobny do żadnych, jakie widziałem dotychczas. Był usiany krzakami, chaszczami i zaroślami. Trawa w większości była twarda i szerokolistna, w niektórych miejscach monstrualna, rosnąca wysokimi kępami, o ostrych jak brzytwa źdźbłach wysokich na osiem lub dziesięć stóp.

Lawirowaliśmy między nimi, nieustannie podążając na południowy zachód, przez kilka godzin. Potem wjechaliśmy w kępę dziwnych, lecz dość sporych drzew. Dawały nie najgorszą osłonę, a między nimi było kilka polanek, na których rosła zwyczajniejsza trawa, wyglądająca na odpowiednią dla koni. Postanowiliśmy odpocząć tam chwilę i przespać się.

Spętałem konie, a Rosalind rozłożyła koce i w końcu mogliśmy coś zjeść. Było miło i spokojnie, dopóki Petra nie wysłała jednego z tych swoich oślepiających przekazów tak nagle, że przygryzłem sobie język.

Rosalind mocno zacisnęła powieki i przycisnęła dłoń do czoła.

— Rany boskie, dziecko! — zaprotestowała.

— Przepraszam, zapomniałam — zdawkowo powiedziała Petra.

Przez minutę siedziała z głową lekko przechyloną na bok, po czym oznajmiła:

— Ona chce rozmawiać z kimś z was. Mówi, żebyście wszyscy próbowali ją usłyszeć, kiedy będzie słać myśli jak najintensywniej.

— Dobrze — zgodziliśmy się — ale ty bądź cicho, inaczej nas oślepisz.

Usilnie próbowałem coś odebrać, ale nie wyczułem nic — a raczej prawie nic, tylko coś jakby falowanie rozgrzanego powietrza.

Odprężyliśmy się znowu.

— Nic z tego — orzekłem. — Musisz jej powiedzieć, że nie możemy się z nią skontaktować, Petro. Teraz uważajcie wszyscy.

Zrobiliśmy, co mogliśmy, żeby stłumić nasz odbiór ich przekazu, a Petra trochę zmniejszyła siłę swoich myśli poniżej oślepiającego poziomu i zaczęła przekazywać nam te, które odbierała. Musiały mieć bardzo proste formy, żeby mogła je powielić, nie rozumiejąc; w rezultacie przypominało to dziecinne gaworzenie, na dodatek wielokrotnie powtarzane, żebyśmy na pewno zrozumieli. Trudno opisać słowami, w jaki sposób do nas dochodziły, ale najważniejsze było ogólne wrażenie i to, że odbieraliśmy je dość wyraźnie.

Największy nacisk nadająca przekaz kładła na to, jak ważne jest życie — nie nasze, lecz Petry. Należało ją chronić za wszelką cenę. Petra była odkryciem najwyższej wagi, ponieważ taka siła projekcji, jaką wykazywała, bez specjalnego szkolenia była czymś niesłychanym. Pomoc już wyruszyła, lecz dopóki do nas nie dotrze, musimy za wszelką cenę zyskać na czasie i zapewnić bezpieczeństwo — najwyraźniej nie sobie, ale Petrze.

Spora część przekazu była mniej zrozumiała, zatarta tym poleceniem, ale ten najważniejszy punkt był zupełnie jasny.

— Zrozumieliście? — spytałem pozostałych, gdy skończyliśmy odbierać.

Zrozumieli. Michael odparł:

— To bardzo pogmatwane. Niewątpliwie siła projekcji Petry jest niesłychana w porównaniu z naszą, ale czy zauważyliście, że ta kobieta zdawała się najbardziej zaskoczona tym, że

ujawniła się wśród prymitywnych ludzi? Wyglądało niemal na
to, że ma na myśli nas.

— Miała — potwierdziła Rosalind. — Nie ma co do tego cienia wątpliwości.

— Musiało zajść jakieś nieporozumienie — wtrąciłem. —
Zapewne Petra w jakiś sposób zasugerowała jej, że jesteśmy
mieszkańcami Obrzeży. A co do... — Zamilkłem na chwilę, za-
głuszony urażonym protestem Petry. Starałem się to zignorować
i ciągnąłem: — Co do pomocy, to również musi być jakieś nieporozumienie. Ta kobieta jest gdzieś na południowym zachodzie,
a każdy wie, że tam przez wiele mil są tylko Pustkowia. Nawet
jeśli gdzieś się kończą, a ona jest po ich drugiej stronie, to jak
mogłaby nam pomóc?

Rosalind nie chciała się o to spierać.

— Poczekajmy, to zobaczymy — zaproponowała. — Teraz po
prostu chcę spać.

Ja też byłem senny, a ponieważ Petra większość jazdy prze-
spała w koszu, kazaliśmy jej czuwać i zbudzić nas, gdyby usłyszała lub zobaczyła coś podejrzanego. Rosalind i ja zasnęliśmy,
niemal zanim złożyliśmy głowy na posłaniach.

Petra zbudziła mnie, potrząsając moim ramieniem. Zobaczyłem, że słońce już prawie zaszło.

— Michael — wyjaśniła.

Oczyściłem dla niego mój umysł.

— Znów wpadli na wasz ślad — przekazał. — Na małej farmie na skraju Dzikiego Kraju. Przejechaliście przez nią galopem. Pamiętasz?

Pamiętałem.

— Już zbiera się tam grupa pościgowa — kontynuował. —
Ruszą waszym śladem, gdy tylko się rozwidni. Lepiej szybko

ruszajcie. Nie wiem, jak wygląda sytuacja przed wami, ale część z nich może próbować przeciąć wam drogę od zachodu. Jeśli tak, to założę się, że w nocy będą się trzymali w małych grupkach. Nie mogą ryzykować rozstawienia kordonu pojedynczych strażników, bo wiadomo, że grasują tam bandy z Obrzeży. Tak więc jeśli dopisze wam szczęście, powinniście im się wymknąć.

— W porządku — powiedziałem ze znużeniem. Nagle przypomniałem sobie, o co chciałem spytać już wcześniej. — Co z Sally i Katherine?

— Nie wiem. Nie odpowiadają. Teraz dzieli nas znacznie większa odległość. Czy ktoś coś wie?

Zgłosiła się Rachel. Przekaz z uwagi na dystans był dość ulotny.

— Katherine straciła przytomność — oznajmiła. — Od tego czasu nie było od nich żadnego zrozumiałego przekazu. Mark i ja obawiamy się... — Urwała, nie chcąc rozwijać tematu.

— Nie przerywaj — zachęcił ją Michael.

— No cóż, Katherine była nieprzytomna tak długo, że zastanawiamy się, czy... czy żyje.

— A Sally?

Tym razem odpowiedziała jeszcze mniej chętnie:

— Myślimy... obawiamy się, że coś dziwnego musiało się stać z jej umysłem... Odebraliśmy od niej tylko parę niezrozumiałych myśli. Były bardzo słabe i bezsensowne, obawiamy się więc... — Znów ucichła, zrozpaczona.

Minęła chwila, po czym Michael zaczął słać twardo i szorstko:

— Rozumiesz, co to oznacza, Davidzie? Oni się nas boją. Są gotowi nas zabić, aby dowiedzieć się o nas więcej — jeśli zdołają nas złapać. Nie możesz pozwolić, żeby złapali Rosalind lub Petrę — lepiej sam je zabij, niż miałoby je to spotkać. Rozumiesz?

Spojrzałem na śpiącą obok mnie Rosalind, na jej włosy lśniące czerwienią zachodzącego słońca, i pomyślałem o udręce, jaką

wyczuliśmy w przekazie Katherine. Zadrżałem na myśl o tym,
że moja ukochana i Petra miałyby cierpieć.

— Tak — powiedziałem jemu i pozostałym. — Tak — rozumiem.

Przez chwilę czułem ich współczucie i poparcie, a potem
już nic.

Petra patrzyła na mnie, bardziej zdziwiona niż przestraszona. Spytała bezpośrednio, słowami:

— Dlaczego on powiedział, że musisz zabić Rosalind i mnie?
Wziąłem się w garść.

— Tylko gdyby nas złapali — wyjaśniłem, starając się, by
zabrzmiało to jak jedyne sensowne i zwyczajne postępowanie
w takich wypadkach.

Głęboko rozważyła taką możliwość, po czym spytała:

— Dlaczego?

— No cóż — próbowałem wyjaśnić — widzisz, że różnimy się
od nich, ponieważ oni nie umieją tworzyć myślowych obrazów,
a kiedy ktoś jest inny, to zwyczajni ludzie się go boją...

— Dlaczego mieliby się nas bać? Nie robimy im krzywdy —
przerwała mi.

— Nie wiem, czy znam powód — odparłem. — Jednak oni...
się boją. To kwestia uczuć, a nie myślenia. A im są głupsi, tym
bardziej pewni tego, że wiedzą, jacy wszyscy powinni być. I ponieważ się boją, stają się okrutni i chcą krzywdzić tych, którzy
są odmienni...

— Dlaczego? — dociekała Petra.

— Tacy po prostu są. I bardzo by nas skrzywdzili, gdyby nas
złapali.

— Nie rozumiem dlaczego — nalegała Petra.

— Tak już po prostu jest. To bardzo skomplikowane i paskud-
ne — powiedziałem. — Zrozumiesz to lepiej, kiedy dorośniesz.
Jednak chodzi o to, że nie chcemy, żeby tobie i Rosalind stała się

krzywda. Pamiętasz, jak oblałaś sobie stopę wrzątkiem? Cóż, to byłoby o wiele gorsze. Lepiej nie żyć — to tak, jakby zasnąć tak mocno, że nie zdołają cię zbudzić i skrzywdzić.

Spojrzałem na Rosalind, na jej piersi łagodnie unoszące się i opadające we śnie. Na policzku miała niesforne pasemko włosów. Delikatnie odgarnąłem je i ucałowałem ją, nie budząc.

Po chwili Petra zaczęła:

— Davidzie, kiedy zabijesz mnie i Rosalind...

Przytuliłem ją.

— Cii, kochanie. To się nie zdarzy, bo nie damy im się złapać. A teraz zbudzimy ją, ale nic jej o tym nie powiemy. Mogłaby się martwić, więc po prostu zatrzymamy to dla siebie w sekrecie, dobrze?

— Dobrze — zgodziła się Petra.

Delikatnie pociągnęła Rosalind za włosy.

Postanowiliśmy znów coś zjeść, a potem ruszyć, kiedy się trochę ściemni, żeby móc się orientować według gwiazd. Podczas posiłku Petra była nadzwyczaj milcząca. Z początku myślałem, że zastanawia się nad tym, co jej powiedziałem, ale najwyraźniej się myliłem; po pewnym czasie otrząsnęła się z zadumy i powiedziała swobodnym tonem:

— Sealand musi być zabawnym miejscem. Wszyscy tam umieją tworzyć myślowe obrazy — no, prawie wszyscy — i nikt nie chce nikomu robić za to krzywdy.

— Och, gawędziłyście sobie, kiedy my spaliśmy, tak? — zauważyła Rosalind. — Muszę przyznać, że tak jest dla nas o wiele wygodniej.

Petra zignorowała tę uwagę. Mówiła dalej.

— Chociaż nie wszyscy są w tym bardzo dobrzy: większość robi to tak jak ty i David — powiedziała nam uprzejmie. — Jednak ona robi to najlepiej z nich wszystkich, a ma dwoje dzieci i uważa, że one też będą w tym dobre, tylko na razie są za małe.

Jednak nie sądzi, żeby robiły to równie dobrze jak ja. Mówi, że nikt nie potrafi przesyłać tak silnych obrazów jak ja — zakończyła zadowolona.

— To mnie nie dziwi — stwierdziła Rosalind. — Teraz powinnaś się nauczyć słać dobre obrazy, a nie tylko hałaśliwe — dodała krytycznie.

Petra wcale się nie stropiła.

— Ona mówi, że będę w tym jeszcze lepsza, jeśli nad tym popracuję; a potem, kiedy dorosnę, powinnam mieć dzieci, które też będą słać silne obrazy.

— Och, koniecznie, koniecznie! — powiedziała Rosalind. — Tylko po co? Z moich dotychczasowych doświadczeń wynika, że obrazy myślowe tylko sprowadzają na nas kłopoty.

— Nie w Sealandzie. — Petra pokręciła głową. — Ona twierdzi, że tam każdy chce je tworzyć, a ci, którzy nie są w tym dobrzy, ciężko pracują, żeby robić to lepiej.

Zastanowiliśmy się nad tym. Przypomniałem sobie opowieść wuja Axela o miejscach za Czarnym Wybrzeżem, gdzie mutanci uważali, że są prawdziwym obrazem, a wszyscy inni mutantami.

— Ona twierdzi — przesłała silniej Petra — że ludziom, którzy potrafią się porozumiewać tylko słowami, czegoś brakuje. Mówi, że powinniśmy im współczuć, bo niezależnie jak długo pożyją, nigdy nie zdołają zrozumieć się wzajemnie. Zawsze będą musieli być pojedynczo, nigdy nie myśląc razem.

— Nie mogę powiedzieć, żebym teraz im współczuł — napomknąłem.

— Cóż, ona mówi, że powinniśmy, bo oni muszą wieść bardzo nudne i głupie życie w porównaniu z ludźmi tworzącymi myślowe obrazy — powiedziała nieco sentencjonalnie Petra.

Pozwoliliśmy jej paplać. W znacznej części tego, co mówiła, trudno było znaleźć sens i może sama go nie znajdowała, ale było najzupełniej oczywiste, że ci Sealandczycy, kimkolwiek i gdziekolwiek byli, górowali nad wszystkimi. Zaczynało być coraz bardziej prawdopodobne, że Rosalind prawidłowo wyczuła, że określenie „prymitywni" odnosiło się do zwyczajnych mieszkańców Labradoru.

W jasnym blasku gwiazd znów ruszyliśmy w drogę, która wciąż biegła między kępami krzaków i zarośli na południowy zachód. Pamiętając o przestrogach Michaela, jechaliśmy jak najciszej, czujnie nasłuchując i wypatrując jakichkolwiek oznak pościgu. Przez kilka mil słyszeliśmy tylko miarowy, głuchy stukot kopyt naszych wielkich koni, ciche poskrzypywanie uprzęży i koszy, a czasem widzieliśmy jakieś leśne zwierzątko zmykające z drogi. Po trzech lub czterech godzinach takiej jazdy dostrzegliśmy gęstniejącą przed nami ciemność, z której w końcu wyłoniła się zwarta ściana lasu, niczym czarny mur. Przez ten mrok nie można było dostrzec, jak gęsty jest ten las. Wydawało się, że najlepiej będzie pojechać prosto ku niemu, a potem, gdy do niego dotrzemy i okaże się nie do przebycia, podążyć jego skrajem, aż znajdziemy jakieś miejsce, żeby do niego wjechać.

Ruszyliśmy i byliśmy już sto jardów od lasu, gdy nagle za nami padł strzał i nad głowami świsnęła nam kula.

Oba konie spłoszyły się i pomknęły przed siebie. O mało nie wypadłem z kosza. Konie rozdzieliły się i łączący je postronek pękł z trzaskiem. Zapasowy koń pognał prosto w kierunku lasu, a potem rozmyślił się i skręcił w lewo. Nasz popędził za nim. Mogliśmy tylko mocno zaprzeć się nogami w koszu i trzymać się go zasypywani grudami ziemi i kamieniami tryskającymi spod kopyt pędzącego przed nami konia.

Gdzieś za nami znów padł strzał i rumaki jeszcze przyspieszyły...

Przez dłuższą chwilę mknęliśmy ciężkim, wstrząsającym ziemią galopem. Potem przed nami i po lewej zauważyliśmy błysk. Na dźwięk wystrzału nasz koń gwałtownie skręcił w prawo i pomknął w las. Skuliliśmy się jeszcze bardziej w koszach, gdy z trzaskiem łamał gałęzie.

Na szczęście wjechaliśmy w las w miejscu, gdzie wielkie pnie stały w sporej odległości od siebie, lecz mimo wszystko była to koszmarna jazda, a gałęzie smagały i szarpały kosze. Wielki koń, nie zważając na to, parł naprzód, omijając większe drzewa, przedzierając się przez gęstwinę, całym ciężarem ciała torując sobie drogę z trzaskiem łamanych gałęzi i drzewek.

W końcu musiał zwolnić, lecz determinacja, z jaką w panice uciekał przed wystrzałami, niewiele osłabła. Musiałem zapierać się rękami, nogami i całym ciałem, żeby nie rozlecieć się w tym koszu na kawałki, i nie odważyłem się nawet na moment z niego wyjrzeć, żeby jakaś gałąź nie urwała mi głowy.

Nie potrafiłem orzec, czy byliśmy ścigani, ale wydawało się to niemożliwe. Nie tylko ze względu na zalegający pod drzewami mrok, ale ponieważ zwyczajny koń próbujący za nami jechać najprawdopodobniej zostałby wypatroszony przez połamane przez naszego wierzchowca drzewka, które sterczały za nami jak dzidy.

Koń zaczął się uspokajać; zwolnił i zaczął wybierać, a nie torować sobie drogę. W końcu drzewa po lewej się przerzedziły. Rosalind wychyliła się z kosza, złapała wodze i skierowała tam zwierzę. Wyjechaliśmy na wąski pas otwartej przestrzeni i znów zobaczyliśmy gwiazdy na niebie. W ich słabym świetle nie sposób było powiedzieć, czy to dukt, czy długa leśna polana. Zatrzymaliśmy się na moment, zastanawiając się, czy zaryzykować i pojechać nią, po czym zdecydowaliśmy, że łatwiejsza jazda zniweluje ryzyko łatwiejszego pościgu, i ruszyliśmy nią na południe. Z boku trzasnęły gałęzie i oboje obróciliśmy się w tę stronę, napinając łuki, ale to był tylko nasz drugi koń. Rżąc z zadowolenia, wybiegł kłusem z mroku i zajął swoje miejsce za nami, jakby wciąż był uwiązany na postronku. Teren stał się bardziej pofałdowany. Szlak wił się, omijając sterczące skały, lub schodził po zboczach parowów, przecinając wąskie strumienie. W niektórych miejscach jechaliśmy po stosunkowo otwartej przestrzeni, a w innych nad naszymi głowami łączyły się korony drzew. Trudny teren wymuszał wolne tempo jazdy.

Sądziliśmy, że jesteśmy już na Obrzeżach. Nie mieliśmy pojęcia, czy ścigający zaryzykują i zapuszczą się dalej, czy nie. Nie udało nam się skonsultować z Michaelem, więc odgadliśmy, że śpi. Niepokoiło nas pytanie, czy już nie czas pozbyć się tych wielkich, zwracających uwagę koni — popędzić je traktem i pójść pieszo w innym kierunku. Trudno było podjąć taką decyzję bez wystarczających informacji. Głupio byłoby pozbyć się tych zwierząt, nie mając pewności, że ścigający nie zaryzykowali i nie zapuścili się za nami na Obrzeża, bo gdyby jednak to zrobili, szybko by nas dogonili, poruszając się za dnia o wiele szybciej niż my teraz. Co więcej, byliśmy zmęczeni i perspektywa dalszej podróży na piechotę bynajmniej nie była kusząca. Jeszcze raz spróbowaliśmy skontaktować się z Michaelem, lecz bezskutecznie. Chwilę później pozbawiono nas możliwości wyboru.

Pokonywaliśmy jeden z tych odcinków, gdzie korony drzew łączyły się nad naszymi głowami, tworząc ciemny tunel, w którym koń poruszał się powoli i ostrożnie. Nagle coś na mnie spadło, przygniatając mnie w koszu. Zaskoczony nie miałem szansy użyć łuku. Ciężar wydusząl ze mnie dech, pod czaszką wytrysnął mi snop iskier — i wszystko zniknęło.

Rozdział 14

Dochodziłem do siebie powoli; miałem wrażenie, że przez długi czas byłem półprzytomny. Wołała mnie Rosalind, ta prawdziwa Rosalind, która była wewnątrz i ukazywała się zbyt rzadko. Ta druga — praktyczna i energiczna — była jej własnym przekonującym wytworem, nie nią samą. Widziałem, jak zaczynała ją tworzyć, kiedy była jeszcze wrażliwym i bojaźliwym, ale dzielnym dzieckiem. Instynktownie przeczuła, może wcześniej niż reszta z nas, że żyje we wrogim świecie, i przezornie przygotowała się, by stawić mu czoło. Jej pancerz powstawał powoli, płyta po płycie. Widziałem, jak wybrała sobie oręż i nauczyła się nim posługiwać, obserwowałem, jak tworzy sobie idealną maskę i nosi ją tak konsekwentnie, że chwilami niemal oszukuje sama siebie.

Kochałem tę dziewczynę, którą można było zobaczyć. Kochałem jej wysoką smukłą sylwetkę, łabędzią szyję, małe sterczące piersi, długie i zgrabne nogi, sposób, w jaki się poruszała, i pewne ręce oraz wargi, gdy się uśmiechała. Kochałem jej brązowozłote włosy, w dotyku jak jedwab, satynowo gładkie ramiona i atłasowe policzki, ciepło jej ciała i pachnący oddech. Wszystko to łatwo było kochać — zbyt łatwo; nikt nie mógł się temu oprzeć.

Musiała tego bronić: skorupą niezależności i obojętności, aurą praktycznej, stanowczej odpowiedzialności, brakiem zainteresowania, chłodną rezerwą. Te cechy nie miały zjednywać i czasem potrafiły ranić, lecz kto przejrzał tę osłonę, mógł je tylko podziwiać, jako triumf sztuki nad naturą.

Teraz jednak to ta skrywana Rosalind wołała mnie łagodnie i smutnie, odrzuciwszy swą zbroję, odsłoniwszy serce.

I znowu bez słów.

Słowa są po to, by poeta mógł nimi odmalować monochromatyczny obraz fizycznej miłości, lecz poza tym fatalnie zawodzą.

Moja miłość płynęła do niej, a jej do mnie wracała. Moja gładziła i uspokajała. Jej — pieściła. Dzieląca nas odległość — i różnice — malały i znikały. Mogliśmy się spotkać, złączyć i zjednoczyć. Przestawaliśmy istnieć oddzielnie; na jakiś czas powstawał jeden byt, złożony z nas obojga. To była ucieczka od samotnej komórki, krótka symbioza, współdzielenie świata…

Nikt inny nie znał prawdziwej Rosalind. Nawet Michael i pozostali widywali tylko przebłyski. Nie wiedzieli, jakim kosztem powstała jej maska. Nikt z nich nie znał mojej kochanej, delikatnej Rosalind pragnącej czułości i miłości, obawiającej się zamknięcia w stworzonej przez siebie zbroi — a jeszcze bardziej życia bez niej.

Czas trwania jest niczym. Może tylko przez moment znów byliśmy razem. Sensem zdarzenia jest samo jego istnienie, a ono nie ma wymiaru.

Potem rozdzieliliśmy się i uświadomiłem sobie przyziemną rzeczywistość: ciemnoszare niebo, moją niewygodną pozycję, a w końcu słane przez Michaela niespokojne pytania, co mi się stało. Z trudem zebrałem myśli.

— Nie wiem. Coś mnie uderzyło — powiadomiłem go — ale chyba nic mi się nie stało. Tylko boli mnie głowa i jest mi cholernie niewygodnie.

Zaledwie mu to przesłałem, zdałem sobie sprawę, dlaczego jest mi tak niewygodnie: nadal byłem w koszu, ale cały do niego wepchnięty, a kosz wciąż się kołysał.

Michael stwierdził, że niewiele mu to mówi. Zwrócił się do Rosalind.

— Skoczyli na nas z nisko zwisających gałęzi. Było ich czterech lub pięciu. Jeden spadł prosto na Davida — wyjaśniła.

— Oni? — spytał Michael.

— Ludzie z Obrzeży — odpowiedziała.

Odetchnąłem. Sądziłem, że to ścigający mogli przeciąć nam drogę. Już miałem spytać, co się stało, gdy Michael zadał kolejne pytanie:

— Czy to do was strzelano wczoraj wieczorem?

Przyznałem, że tak, ale równie dobrze mogła to być jakaś inna strzelanina.

— Nie. Była tylko ta jedna — powiedział rozczarowany. — Miałem nadzieję, że pomylili się i podążamy złym tropem. Zwołano wszystkich. Uważają, że zapuszczanie się na Obrzeża małymi grupkami byłoby zbyt ryzykowne. Mniej więcej za cztery godziny mamy się zebrać i wyruszyć. Liczą, że będzie nas około stu. Zdecydowali, że jeśli napotkamy jakichś mieszkańców Obrzeży i spuścimy im łomot, to unikniemy kłopotów w przyszłości. Lepiej pozbądźcie się tych wielkich koni — dopóki je macie, nie ukryjecie swoich śladów.

— Trochę spóźniona rada — stwierdziła Rosalind. — Ja jestem związana w koszu na pierwszym koniu, a David na drugim.

— Gdzie jest Petra? — zaniepokoił się Michael.

— Och, nic jej nie jest. Jedzie w drugim koszu obok mnie i zaprzyjaźnia się z tym, który tu dowodzi.

— Co dokładnie się stało? — chciał wiedzieć Michael.

— No cóż, najpierw kilku skoczyło na nas, a potem spomiędzy drzew wyszli inni i zatrzymali konie. Zsadzili nas i znieśli Davida. Potem przez jakiś czas naradzali się i spierali, po czym postanowili się nas pozbyć. Wsadzili nas z powrotem do koszy, na każdym koniu umieścili jednego swojego człowieka i posłali nas w drogę — w tym samym kierunku, w którym jechaliśmy.

— Czyli w głąb Obrzeży?

— Tak.

— Cóż, to przynajmniej najlepszy kierunek — skomentował Michael. — Jak są nastawieni? Wrogo?

— Och, nie. Tylko pilnują, żebyśmy nie uciekli. Wydaje się, że mają jakieś pojęcie, kim jesteśmy, ale nie wiedzą, co z nami zrobić. Trochę się o to spierali, ale myślę, że najbardziej interesują ich te wielkie konie. Ten mężczyzna, który jedzie na naszym, wydaje się niegroźny. Rozmawia z Petrą jak z dorosłą osobą — nie wiem, czy nie jest trochę przygłupi.

— Możesz się dowiedzieć, co zamierzają z wami zrobić?

— Pytałam, ale on chyba nie wie. Po prostu kazano mu nas dokądś zawieźć.

— No cóż… — Michael najwidoczniej nie wiedział, co począć. — Cóż, chyba wszyscy musimy zaczekać i zobaczyć, co się stanie — ale nie zaszkodzi mu powiedzieć, że za wami jedziemy.

Na razie na tym poprzestał.

Sprężyłem się i obróciłem. Z trudem zdołałem się wyprostować i stanąć w rozkołysanym koszu. Mężczyzna w drugim spojrzał na mnie dość przyjaźnie.

— Prrr! — zawołał do wielkiego konia i ściągnął wodze. Zdjął z ramienia skórzany bukłak i trzymając za taśmę, posłał mi go wahadłowym ruchem. Odkorkowałem bukłak, z wdzięcznością napiłem się i odesłałem mu go w taki sam sposób. Pojechaliśmy dalej.

Teraz mogłem się przyjrzeć otoczeniu. Teren był pagórkowaty, już nieporośnięty gęstym lasem, ale licznie rosnącymi drzewami, i ich widok natychmiast mnie przekonał, że ojciec miał rację, mówiąc o tych stronach jako o kpinie z normalności. Nie potrafiłem zidentyfikować żadnego z tych drzew. Znajomo wyglądające pnie podtrzymywały dziwne korony, znajomo wyglądające gałęzie wyrastały z przedziwnej kory i podtrzymywały dziwaczne liście. Przez chwilę widok po lewej zasłaniał nam parkan niesamowicie splątanych jeżyn o potwornie grubych łodygach i kolcach jak widły. Inne miejsce wyglądało jak usłane głazami koryto wyschniętej rzeki, lecz te głazy okazały się kulistymi grzybami rosnącymi jeden przy drugim. Niektóre drzewa miały pnie zbyt miękkie, by stały pionowo, więc opadły na ziemię i rozrastały się na niej. Tu i ówdzie rosły kępy miniaturowych drzew, karłowatych i poskręcanych, wyglądających na kilkusetletnie.

Ukradkiem znów zerknąłem na mężczyznę w drugim koszu. Nie wyglądało na to, żeby coś z nim było nie w porządku poza tym, że był bardzo brudny, tak jak jego podarte odzienie i pomięty kapelusz. Zauważył, że mu się przyglądam.

— Nigdy przedtem nie byłeś na Obrzeżach, chłopcze? — zapytał.

— Nie — odrzekłem. — Czy wszędzie tak wyglądają?

Uśmiechnął się i potrząsnął głową.

— Żadna ich część nie jest podobna do innej. Dlatego Obrzeża są Obrzeżami; na razie prawie wszystko tutaj jest nietypowe.

— Na razie? — powtórzyłem.

— Pewnie. To się zmieni, z czasem. Dziki Kraj był kiedyś Obrzeżem, ale teraz jest spokojniejszy; rejon, z którego przybyliście, niegdyś zapewne też był Dzikim Krajem, ale już się uspokoił. Sądzę, że Pan Bóg wystawia na próbę naszą cierpliwość i z pewnością wcale się nie spieszy z jej zakończeniem.

— Bóg? — rzekłem z powątpiewaniem. — Zawsze uczono nas, że na Obrzeżach rządzi diabeł.

Pokręcił głową.

— Tak wam tam mówią. Ale tak nie jest, chłopcze. To w waszych stronach krąży diabeł i dba o swoich. Aroganccy ludzie. Ten ich prawdziwy obraz i cała ta gadanina... Chcą być jak Dawni Ludzie. Udręka niczego ich nie nauczyła... Dawni Ludzie też myśleli, że są najlepsi. Bo przecież mieli swoje pomysły, wiedzieli, jak należy rządzić światem. Uważali, że wystarczy go wygodnie urządzić i utrzymać w takiej formie, a wtedy wszystkim będzie dobrze, bo ich pomysły są o wiele bardziej cywilizowane od boskich. — Pokręcił głową. — To się nie udało, chłopcze. Nie mogło się udać. Wbrew temu, co myśleli, nie byli ostatnim słowem Boga, ponieważ On nigdy nie wypowiada ostatniego słowa. Gdyby to zrobił, umarłby. Jednak On nie umarł: zmienia się i rośnie jak wszystko, co żywe. Tak więc kiedy robili, co mogli, żeby wszystko uporządkować i utrwalić na wieczność wedle swoich wyobrażeń, On zesłał Udrękę, aby to rozwalić i przypomnieć im, że życie to zmiana. Widział, że nic dobrego z tego nie wyniknie, więc potasował karty, żeby zobaczyć, czy następne rozdanie nie będzie lepsze.

Zamilkł i myślał o tym przez chwilę, po czym dodał:

— Może nie potasował ich dość dobrze. W niektórych miejscach powtarzają się te same układy. Na przykład tam, skąd przybyliście. Oni tam ciągle popełniają te same błędy: uważają, że do nich należy ostatnie słowo, wciąż cholernie uparcie chcą pozostać tacy, jacy są, i utrzymać stan rzeczy, który poprzednio spowodował Udrękę. Pewnego dnia Pana Boga zmęczy to, że niczego nie chcą się nauczyć, i znów pokaże im kilka sztuczek.

— Och — mruknąłem, unikając dyskusji. Uważałem za dziwne, że tylu ludzi zdaje się mieć konkretne, choć sprzeczne, informacje o poglądach Pana Boga.

Mężczyzna najwyraźniej nie był całkiem pewny, że mnie przekonał. Machnięciem ręki wskazał otaczający nas dewiacyjny krajobraz i wtedy spostrzegłem, na czym polega jego odmienność: u prawej dłoni brakowało mu trzech palców.

— Pewnego dnia — oznajmił — z tego wszystkiego wyłoni się jakiś ład. Będzie czymś nowym, a po nowych gatunkach roślin pojawią się nowe stworzenia. Udręka była wstrząsem, który miał nam dać nowy początek.

— Jednak tam, gdzie utrzymują inwentarz będący prawdziwym obrazem, niszczą dewiacje — przypomniałem.

— Usiłują to robić i myślą, że im się to udaje — rzekł. — Z maniackim uporem chcą utrzymać standardy Dawnych Ludzi — ale czy to robią? Czy potrafią? Skąd mogą wiedzieć, czy ich plony, owoce i warzywa są dokładnie takie same? Czyż nie ma o to sporów? I czy nie jest tak, że prawie zawsze w końcu akceptują bardziej wydajne odmiany? Czy nie krzyżują bydła, żeby miało większą odporność, dawało więcej mleka lub mięsa? Pewnie, mogą niszczyć oczywiste dewiacje, ale czy można być pewnym, że Dawni Ludzie rozpoznaliby którąkolwiek z dzisiejszych odmian? Ja wcale nie jestem tego pewny. Widzisz, tego procesu nie można powstrzymać. Można go utrudniać i wyklinać, spowalniać i wypaczać, ale on i tak trwa. Spójrz tylko na te konie.

— Są zaaprobowane przez rząd — powiedziałem mu.

— Jasne. Właśnie o tym mówię — rzekł.

— Jeśli jednak ten proces trwa, to nie rozumiem, dlaczego musi nadejść Udręka — spierałem się.

— Trwa u innych form życia — odparł — ale nie u człowieka, nie u takich jak Dawni Ludzie czy wasi, jeśli tylko mają na to jakiś wpływ. Oni powstrzymują ten proces: zamykają drogę przemian i uniemożliwiają je, bo w swej arogancji mają się za doskonałych. Sądzą, że oni i tylko oni są prawdziwym obrazem, a skoro tak, to sami muszą być Bogiem i jako Bóg uważają się za uprawnionych do orzekania, co jest właściwe, a co nie. To jest ich wielki grzech: usiłują zdusić życie Życia.

Kilka tych ostatnich zdań zabrzmiało bardziej emocjonalnie od poprzednich, co wzbudziło we mnie podejrzenie, że znów mam do czynienia z jakimś zbiorem wierzeń. Postanowiłem skierować rozmowę na praktyczniejsze tory, pytając, dlaczego wzięli nas do niewoli.

Zdawał się tego nie wiedzieć i tylko zapewnił mnie, że zawsze tak robią, kiedy napotkają kogoś obcego, kto się zapuścił na Obrzeża.

Zastanowiłem się nad tym, a potem znów skontaktowałem się z Michaelem.

— Jak uważasz, co mamy im powiedzieć? — zapytałem. — Spodziewam się, że nas zbadają. Gdy odkryją, że nie mamy żadnych wad fizycznych, będziemy musieli podać im jakiś powód naszej ucieczki.

— Najlepiej powiedzcie im prawdę, ale nie całą. Mówcie niewiele, tak jak Katherine i Sally. Tylko tyle, żeby uzasadnić waszą ucieczkę — zaproponował.

— Bardzo dobrze — zgodziłem się — Rozumiesz to, Petro? Powiesz im, że możesz wymieniać obrazy tylko z Rosalind i ze mną. Nie wspomnisz o Michaelu czy ludziach z Sealandu.

— Ludzie z Sealandu przybywają nam z pomocą. Nie są już tak daleko, jak byli — zapewniła nas z przekonaniem.

Michael przyjął to sceptycznie.

— Bardzo ładnie — jeśli rzeczywiście tak jest. Jednak nie wspominaj o nich.

— Dobrze — zgodziła się Petra.

Zastanawialiśmy się, czy powiedzieć tym dwom strażnikom o podążającym za nami pościgu, i zdecydowaliśmy, że nie zaszkodzi ich zawiadomić.

Mężczyzna w koszu obok mnie nie okazał zdziwienia.

— Świetnie. To nam odpowiada — rzekł. Jednak nie wyjaśnił dlaczego i dalej jechaliśmy w powolnym tempie.

Petra znów zaczęła rozmawiać ze swoją nową przyjaciółką i nie ulegało wątpliwości, że dzieląca je odległość zmalała. Petra nie musiała już słać jej obrazów z taką druzgocącą siłą i po raz pierwszy zdołałem — choć z trudem — wychwycić strzępy tej wymiany informacji. Rosalind pochwyciła je również. Zebrała siły i wysłała pytanie. Nieznajoma wzmocniła swój przekaz i połączyła się z nami, zadowolona z nawiązania kontaktu, pragnąc dowiedzieć się więcej, niż mogła jej przesłać Petra.

Rosalind wyjaśniła jej jak mogła naszą sytuację i powiedziała, że chwilowo chyba nic nam nie grozi. Kobieta poradziła nam:

— Bądźcie ostrożni. Zgadzajcie się na wszystko i grajcie na czas. Podkreślajcie, że ze strony waszych ziomków grozi wam niebezpieczeństwo. Trudno wam coś radzić, nie znając tego plemienia. Niektóre plemiona dewiantów nie znoszą zewnętrznej normalności. Nie zaszkodzi podkreślać, że tak naprawdę różnicie się od waszych ziomków. Jednak najważniejsza jest ta dziewczynka. Chrońcie ją za wszelką cenę. Jeszcze nigdy nie spotkaliśmy takiej siły przekazu u tak młodej osoby. Jak ma na imię?

Rosalind przesłała jej obrazy liter. Potem spytała:

— A kim wy jesteście? Czym jest Sealand?

— Jesteśmy Nowymi Ludźmi, takimi jak wy. Ludźmi, którzy umieją myśleć razem. Jesteśmy ludźmi, którzy zamierzają zbudować nowy świat — różniący się od świata Dawnych Ludzi i świata dzikusów.

— Czy takimi ludźmi, jakich chciał mieć Bóg? — dociekałem, mając wrażenie, że znów jestem na znajomym gruncie.

— Nie mam pojęcia. Bo kto to wie? Jednak wiemy, że możemy stworzyć lepszy świat niż ten Dawnych Ludzi. Oni byli tylko pomysłowymi półludźmi, niewiele lepszymi od dzikusów, żyli odizolowani od siebie, porozumiewając się prymitywną mową. Często dodatkowo utrudniały im to ich odmienne języki i wierzenia. Niektórzy umieli myśleć samodzielnie, ale musieli pozostać odizolowani. Czasem potrafili dzielić swoje uczucia, ale nie byli zdolni do zbiorowego myślenia. W prymitywnym środowisku radzili sobie dość dobrze, tak jak zwierzęta, ale im bardziej skomplikowany tworzyli świat, tym mniej umieli sobie z nim radzić. Mieli ogromne aspiracje, ale nie chcieli ponosić odpowiedzialności za swoje poczynania. Stwarzali ogromne problemy, a potem chowali głowy w piasek gnuśnej wiary. Ponieważ nie było między nimi prawdziwej wymiany myśli i wzajemnego zrozumienia. W najlepszym razie można ich uznać za wysoko rozwinięty gatunek zwierzęcia, ale nic więcej.

Nigdy nie mogło się im udać — ciągnęła. — Gdyby nie wywołali Udręki, która prawie wszystkich ich unicestwiła, mnożyliby się beztrosko jak zwierzęta, powodując coraz większą nędzę i nieszczęścia, a w końcu głód i powrót barbarzyństwa. Tak czy owak, byli skazani na wymarcie jako nieprzystosowany gatunek.

Ponownie uświadomiłem sobie, że ci Sealandczycy mają o sobie wysokie mniemanie. Komuś wychowanemu tak jak ja w nabożnym szacunku dla Dawnych Ludzi trudno było się z tym pogodzić. Gdy zmagałem się z tym, Rosalind spytała:

— A wy? Skąd się wzięliście?

— Nasi przodkowie mieli szczęście żyć na nieco odizolowanej wyspie — a właściwie na dwóch wyspach. Nawet na nich nie uniknęli Udręki i jej skutków, chociaż mniej dotkliwych niż w większości miejsc, ale zostali odcięci od reszty świata i niemal stoczyli się w otchłań barbarzyństwa. Potem jednak pojawili się tacy, którzy umieli wspólnie myśleć. Z czasem ci, którzy robili to najlepiej, znaleźli innych z takimi samymi, lecz trochę słabszymi umiejętnościami, i pomogli im je rozwinąć. To naturalne, że ludzie umiejący dzielić myśli są skłonni zawierać małżeństwa z podobnymi sobie, tak więc ciągle ich przybywało. Trochę później zaczęli także w innych miejscach odkrywać tworzących myślowe obrazy. Wtedy zrozumieli, jakie mieli szczęście: odkryli, że nawet tam, gdzie nie zwraca się uwagi na fizyczne mutacje, ludzie umiejący wymieniać myśli są prześladowani. Bardzo długo w żaden sposób nie można było pomóc takim ludziom mieszkającym daleko — chociaż niektórzy próbowali dopłynąć do Sealandu w łodziach i czasem im się udawało — ale później, gdy znów mieliśmy maszyny, mogliśmy ich uratować, przywożąc do nas. Teraz próbujemy to robić, ilekroć nawiążemy z takimi osobami kontakt — ale jeszcze nigdy nie nawiązaliśmy go na tak dużą odległość. Wciąż łączę się z wami z trudem. Kontakt będzie coraz łatwiejszy, ale na razie muszę go przerwać. Dbajcie o tę dziewczynkę. Jest wyjątkowa i ogromnie ważna. Chrońcie ją za wszelką cenę.

Obrazy myślowe znikły, na moment zostawiając pustkę. Potem wypełniła ją Petra. Nawet jeśli nie pojęła całego tego myślowego przekazu, to ostatnią część zrozumiała doskonale.

— Mówiła o mnie — oznajmiła z satysfakcją i absolutnie zbytecznym wigorem.

Byliśmy wstrząśnięci, ale szybko doszliśmy do siebie.

— Uważaj, wstrętne aroganckie dziecię. Jeszcze nie spotkaliśmy Włochatego Jacka — przypomniała jej Rosalind, co natychmiast ją poskromiło. — Michael — dodała Rosalind — czy do ciebie też to wszystko dotarło?

— Tak — z lekką rezerwą odparł Michael. — Uznałem to za

lekko protekcjonalne. Zabrzmiało jak pogadanka dla dzieci. Jednak było przesyłane na piekielnie dużą odległość. Nie wiem, czy zdążą tu przybyć dostatecznie szybko, żeby w czymś pomóc. Nasza grupa pościgowa rusza za wami za kilka minut.

Wielkie konie nadal człapały miarowo. Krajobraz nadal był niepokojący i dziwny dla kogoś wychowanego w szacunku dla właściwych kształtów. Oczywiście niektóre rzeczy były tak fantastyczne jak ta roślinność na południu, o której opowiadał wuj Axel, jednak praktycznie nic tutaj nie wyglądało uspokajająco znajomo ani nawet zwyczajnie. W tym totalnym zamęcie wydawało się już nieistotne, czy jakieś drzewo jest mutacją, czy tylko hybrydą, lecz ulżyło mi, gdy wyjechaliśmy spomiędzy drzew na otwarty teren — chociaż nawet tam krzaki nie były jednorodne czy rozpoznawalne, a i trawa wyglądała przedziwnie.

Zatrzymaliśmy się tylko raz, żeby coś zjeść i wypić, i niecałe pół godziny później znów byliśmy w drodze. Mniej więcej po dwóch godzinach, zostawiwszy za sobą kilka kolejnych pasm leśnych, dotarliśmy do niewielkiej rzeki. Na naszym brzegu równina stromym zboczem opadała do wody, na drugim wznosił się szereg niskich, czerwonawych klifowych skał.

Pojechaliśmy w dół rzeki, skrajem zbocza. Ćwierć mili dalej, przy potwornie zdeformowanym drzewie o pniu w kształcie wielkiej zdrewniałej gruszki i gałęziach zebranych na jej wierzchołku w wielką sterczącą kitę, wpadający do rzeki strumyk spłaszczył zbocze, tworząc dogodne zejście dla koni. Przeprawiliśmy się tam przez rzekę i pojechaliśmy w kierunku wyrwy w klifie. Gdy do niej dotarliśmy, okazała się zaledwie szczeliną, w niektórych miejscach tak wąską, że kosze ocierały się o skalne ściany i ledwie mogliśmy przejechać. Ciągnęła się tak przez kilkaset jardów, zanim się poszerzyła i zaczęła piąć na równinę.

W miejscu, gdzie jej ściany niemal znikły, stało siedmiu czy ośmiu mężczyzn z łukami w dłoniach. Ze zdumieniem gapili się na wielkie konie i wydawało się, że mają ochotę uciec. Podjechaliśmy do nich i zatrzymaliśmy się.

— Złaź, chłopcze — nakazał mi mężczyzna w drugim koszu, ruchem głowy popierając polecenie.

Petra i Rosalind już schodziły z pierwszego wielkiego konia. Gdy znalazłem się na ziemi, mężczyzna klepnął zwierzę i oba wielkie konie poczłapały dalej. Petra nerwowo ścisnęła moją dłoń, lecz obdarci, niechlujni łucznicy bardziej interesowali się końmi niż nami.

Wyglądali zupełnie niegroźnie. Wprawdzie jeden z nich miał sześć palców u dłoni, w której trzymał łuk, inny głowę gładką jak brązowe jajo oraz bezwłosą twarz, a jeszcze inny niezwykle duże stopy i dłonie, lecz jeśli cokolwiek było nie tak u pozostałych, skrywały to łachmany.

Rosalind i ja odetchnęliśmy z ulgą, nie widząc żadnych groteskowych deformacji, jakich prawie oczekiwaliśmy. Petrze również dodało otuchy to, że żaden z nich nie pasował do tradycyjnego opisu Włochatego Jacka. W końcu, gdy odprowadzili wzrokiem konie, które znikły za zakrętem szlaku, skupili uwagę na nas. Dwaj z nich powiedzieli, że mamy iść z nimi, a reszta pozostała tam, gdzie stała.

Dobrze wydeptana ścieżka wiodła przez kilkaset jardów przez las, na polanę. Po prawej znów pojawiła się czerwonawa skalna ściana wysokości najwyżej czterdziestu stóp. Najwyraźniej znaleźliśmy się po drugiej stronie nadrzecznego klifu, który tu był usiany licznymi otworami; toporne drabiny z gałęzi umożliwiały dostęp do wyżej położonych jaskiń.

Skrawek równego terenu przed nimi był usiany szałasami i namiotami. Między nimi paliły się ogniska. Wokół nich ospale kręciła się grupa obdartych mężczyzn oraz sporo niechlujnie wyglądających kobiet.

Szliśmy, omijając te nędzne budy i sterty śmieci, aż dotarliśmy do największego namiotu. Wyglądał jak plandeka ściągnięta ze sterty siana — zapewne podczas jakiejś łupieżczej wyprawy — i rozpięta na stelażu z powiązanych tyczek. Mężczyzna siedzący na stołku tuż przy wejściu spojrzał na nas, gdy podchodziliśmy. Na widok jego twarzy przez moment poczułem paniczny lęk — tak była podobna do twarzy mojego ojca. Potem rozpoznałem go — był to ten „człowiek-pająk", którego widziałem jako jeńca w Waknuk siedem czy osiem lat wcześniej. Ci dwaj, którzy nas przyprowadzili, popchnęli nas ku niemu. Przyjrzał się naszej trójce. Zmierzył smukłą postać Rosalind wzrokiem, który mi się nie spodobał — i jej też. Potem jeszcze uważniej popatrzył na mnie i pokiwał głową, jakby z czegoś zadowolony.

— Pamiętasz mnie? — spytał.

— Tak — odparłem.

Oderwał wzrok od mojej twarzy. Powiódł spojrzeniem po zbiorowisku szałasów i chat, a potem znów spojrzał na mnie.

— Niezbyt podobne do Waknuk — rzekł.

— Niezbyt — potwierdziłem.

Zamilkł na długą chwilę, rozmyślając. Potem spytał:

— Wiesz, kim jestem?

— Tak sądzę. Domyśliłem się — powiedziałem.

Pytająco uniósł brwi.

— Mój ojciec miał starszego brata — powiedziałem — którego uważano za normalnego, dopóki nie ukończył trzech czy czterech lat. Wtedy odebrano mu certyfikat i wygnano go.

Powoli pokiwał głową.

— Jednak to nie cała prawda — rzekł. — Matka go kochała. Jego niania kochała go także. Dlatego gdy przyszli go zabrać, już go nie było — ale oczywiście zataili to. Zataili całą sprawę; udawali, że to nigdy się nie zdarzyło.

Znów przerwał, rozmyślając. W końcu dodał:

— Najstarszy syn. Dziedzic. Waknuk powinno być moje. I byłoby — gdyby nie to.

Wyciągnął długą rękę i przyglądał jej się chwilę. Potem ją opuścił i znów spojrzał na mnie.

— Czy wiesz, jak długa powinna być ludzka ręka?

— Nie — przyznałem.

— Ja też nie wiem. Jednak ktoś w Rigo to wie, jakiś ekspert od prawdziwego obrazu. Tak więc nie mam Waknuk — i muszę żyć jak dzikus między dzikusami. Ty jesteś najstarszym synem?

— Jedynym — powiedziałem. — Był jeszcze młodszy, ale...

— Nie dostał certyfikatu, co?

Skinąłem głową.

— A więc i ty straciłeś Waknuk.

Ten aspekt sprawy nigdy mnie nie martwił. Nie sądzę, żebym kiedykolwiek naprawdę się spodziewał odziedziczyć Waknuk. Zawsze czułem się tam niepewnie — spodziewając się, niemal będąc pewny, że któregoś dnia zostanę zdemaskowany. Zbyt długo żyłem w takim poczuciu zagrożenia, żeby czuć urazę, jaką on żywił. Teraz, gdy ta sprawa sama się rozwiązała, byłem zadowolony, że się stamtąd wyrwałem — i tak mu powiedziałem. Nie spodobało mu się to. Spojrzał na mnie z namysłem.

— Nie masz jaj, żeby walczyć o to, co ci się słusznie należy? — zarzucił mi.

— Jeśli słusznie należy się tobie, to nie może słusznie być moje — wytknąłem. — Chciałem przez to powiedzieć, że miałem już dość ukrywania się.

— Wszyscy tu się ukrywamy — rzekł.

— Możliwe — odparłem. — Jednak tu możecie być sobą. Nie musicie udawać. Nie musicie zważać na każdy swój ruch i dwukrotnie się zastanawiać, zanim coś powiecie.

Pokiwał głową.

— Słyszeliśmy o was. Mamy swoje sposoby — powiedział. — Nie rozumiem tylko, dlaczego wysłali za wami tak liczny pościg.

— Uważamy, że obawiają się nas bardziej niż innych dewiantów — wyjaśniłem — bo nie można nas odróżnić od normalnych ludzi. Zapewne podejrzewają, że jest nas znacznie więcej niż tych kilkoro zdemaskowanych, i chcą nas złapać, żebyśmy ich wskazali.

— To więcej niż dobry powód, żeby nie dać się złapać — zauważył.

Tymczasem odezwał się Michael. Rozmawiał z Rosalind, ale nie mogłem prowadzić dwóch rozmów jednocześnie, więc nie dołączyłem do nich.

— Zatem jadą za wami w głąb Obrzeży? Ilu ich jest? — spytał człowiek-pająk.

— Nie jestem pewny — odparłem, zastanawiając się, jak najlepiej to wykorzystać.

— Z tego, co słyszałem, powinieneś móc to ustalić — zauważył.

Zastanawiałem się, ile o nas usłyszał i czy wie o Michaelu, ale to wydawało się mało prawdopodobne. Lekko zmrużył oczy i dodał:

— Lepiej mnie nie oszukuj, chłopcze. To was ścigają i to wy sprowadziliście na nas kłopoty. Dlaczego mielibyśmy się przejmować tym, co się z wami stanie? Łatwo moglibyśmy zostawić kogoś z was, żeby go znaleźli.

Petra pojęła, co by to oznaczało, i przestraszyła się.

— Więcej niż stu ludzi — powiedziała.

Przez moment spoglądał na nią w zadumie.

— A więc ktoś z was jest wśród nich, tak jak przypuszczałem — zauważył i znów pokiwał głową. — Stu ludzi to dużo, żeby złapać troje. Za dużo... Rozumiem... — Znów zwrócił się do mnie. — Czy ostatnio krążyły plotki o kłopotach nadchodzących z Obrzeży?

— Tak — przyznałem.

Uśmiechnął się.

— Dobrze się składa. Po raz pierwszy postanowili przejąć inicjatywę i najechać nas — a także złapać was, oczywiście. Naturalnie podążą waszym śladem. Jak daleko są stąd?

Skonsultowałem to z Michaelem i dowiedziałem się, że główna grupa musi przejechać jeszcze kilka mil, zanim połączy się z tą, która nas ostrzelała i spłoszyła wielkie konie. Miałem tylko problem z przekazaniem ich pozycji w sposób zrozumiały dla człowieka-pająka. Wysłuchał mnie, ale niespecjalnie się tym przejął.

— Czy twój ojciec jest wśród nich? — zapytał.

O to dotychczas wolałem nie pytać Michaela. Teraz też tego nie zrobiłem. Po prostu zamilkłem na chwilę, a potem powiedziałem:

— Nie.

Kątem oka zauważyłem, że Petra chciała coś powiedzieć, i wyczułem, że Rosalind natychmiast ją uciszyła.

— Szkoda — rzekł człowiek-pająk. — Już od dawna mam nadzieję, że pewnego dnia spotkam się z twoim ojcem jak równy z równym. Z tego, co słyszałem, sądziłem, że będzie wśród nich. Może nie jest takim dzielnym obrońcą prawdziwego obrazu, jak mówią.

Wciąż mi się przypatrywał, uporczywie i przenikliwie. Czułem — jak krzepiący uścisk dłoni — współczucie Rosalind i jej zrozumienie, dlaczego nie chciałem pytać o to Michaela.

Nagle i niespodziewanie człowiek-pająk przestał zwracać na mnie uwagę i skupił ją na Rosalind. Odwzajemniła jego spojrzenie. Stała wyprostowana, pewna siebie, i przez kilka sekund mierzyła go obojętnym, chłodnym wzrokiem. Nagle, ku mojemu zdumieniu, załamała się. Spuściła oczy. Zaczerwieniła się. On lekko się uśmiechnął...

Jednak mylił się. To nie była kapitulacja przed silniejszym, przed zdobywcą. Straciła panowanie nad sobą pod wpływem odrazy i przerażenia. W jej umyśle ujrzałem jego obraz, ohydnie wyolbrzymiony. Obawy, które tak dobrze skrywała, ujawniły się i była przerażona; nie jak kobieta mająca ulec mężczyźnie, lecz jak dziecko bojące się potwora. Petra też przechwyciła ten myślowy obraz, który tak nią wstrząsnął, że krzyknęła.

Rzuciłem się na człowieka-pająka, przewracając go wraz ze stołkiem. Dwaj stojący za moimi plecami mężczyźni przyszli mu z pomocą, ale zdołałem zadać mu przynajmniej jeden solidny cios, zanim mnie odciągnęli.

Człowiek-pająk usiadł, masując szczękę. Uśmiechnął się do mnie, ale bez śladu rozbawienia.

— To godne uznania — przyznał — ale nic poza tym. — Stanął na tych szczudłowatych nogach. — Nie przyjrzałeś się tutejszym kobietom, prawda, chłopcze? Zrób to, odchodząc. Może coś zrozumiesz. Ponadto ta może rodzić dzieci. Już od dawna marzy mi się kilka dzieciaków, nawet gdyby przypadkiem miały się trochę wdać w ojca. — Znów uśmiechnął się krzywo, a potem zmarszczył brwi. — Lepiej pogódź się z tym, chłopcze. Bądź rozsądny. Ja nie daję drugiej szansy.

Oderwał ode mnie wzrok i spojrzał na tych dwóch, którzy mnie trzymali.

— Wygońcie go — rozkazał im. — A jeśli nie zrozumie, że ma się trzymać z daleka, zastrzelcie go.

Ci dwaj wywlekli mnie i poprowadzili. Na skraju polany jeden z nich popędził mnie kopniakiem.

— Ruszaj — powiedział.

Wstałem i odwróciłem się, ale drugi z nich mierzył we mnie z łuku. Ruchem głowy kazał mi odejść. Usłuchałem i odszedłem — ale tylko kilka jardów, aż ukryły mnie drzewa; wtedy skoczyłem w gąszcz.

Spodziewali się tego. Jednak nie zastrzelili mnie, tylko pobili i rzucili w zarośla. Pamiętam, że leciałem w powietrzu, ale nie pamiętam upadku...

Rozdział 15

Wleczono mnie. Pod pachami czułem czyjeś ręce. Odchylane gałązki sprężynowały i smagały mnie po twarzy.

— Cii! — szepnął ktoś za mną.

— Daj mi chwilę. Zaraz dojdę do siebie — odpowiedziałem szeptem.

Przestano mnie wlec. Przez moment leżałem, dochodząc do siebie, a potem się obróciłem. Jakaś kobieta, młoda kobieta, przykucnęła i patrzyła na mnie.

Słońce stało już nisko i pod drzewami zalegał półmrok. Nie widziałem jej dobrze. Ciemne włosy zwisały po obu stronach jej opalonej twarzy, a błyszczące czarne oczy przyglądały mi się uważnie. Gors jej sukni był postrzępiony i poplamiony, nieokreślonego koloru. Suknia nie miała rękawów, ale najbardziej rzucił mi się w oczy brak naszytego krzyża. Jeszcze nigdy nie spotkałem kobiety, która nie nosiłaby na sukni ochronnego krzyża. Wyglądało to dziwnie, niemal nieprzyzwoicie. Patrzyliśmy na siebie przez kilka sekund.

— Nie poznajesz mnie, Davidzie — powiedziała ze smutkiem.

I dopiero wtedy ją rozpoznałem. Po tym, jak wypowiedziała moje imię.

— Sophie! — powiedziałem. — Och, Sophie!

Uśmiechnęła się.

— Kochany David — powiedziała. — Mocno cię poturbowali, Davidzie?

Spróbowałem poruszyć rękami i nogami. Były zesztywniałe i w kilku miejscach obolałe, tak jak reszta mojego ciała i głowa. Poczułem krew zakrzepłą na lewym policzku, ale chyba nie miałem żadnej złamanej kości. Próbowałem wstać, ale Sophie wyciągnęła rękę i położyła dłoń na moim ramieniu.

— Nie, jeszcze nie. Zaczekaj trochę, do zmroku. — Wciąż mi się przyglądała. — Widziałam, jak cię przyprowadzili. Ciebie, tę małą dziewczynkę i tamtą dziewczynę... Kim ona jest, Davidzie?

To mnie gwałtownie otrzeźwiło. Rozpaczliwie spróbowałem odnaleźć Rosalind i Petrę, ale nie mogłem nawiązać z nimi kontaktu. Michael wyczuł mój strach i odezwał się uspokajająco. I z ulgą.

— Bogu dzięki. Strasznie się o ciebie martwiliśmy. Nie martw się. Nic im nie jest, obie są zmęczone i wyczerpane; zasnęły.

— Czy Rosalind...?

— Nic jej nie jest, zapewniam cię. Co się z tobą działo?

Powiedziałem mu. Cała relacja zajęła mi tylko kilka sekund, ale wystarczyło to, by Sophie spoglądała na mnie zaciekawiona.

— Kim ona jest, Davidzie? — ponowiła pytanie.

Wyjaśniłem, że Rosalind jest moją kuzynką. Sophie przyglądała mi się, gdy to mówiłem, a potem pokiwała głową.

— On chce ją mieć, prawda? — spytała.

— Tak powiedział — przyznałem ponuro.

— Ona mogłaby urodzić mu dzieci? — naciskała.

— Co chcesz osiągnąć tymi pytaniami? — warknąłem.

— A więc ją kochasz? — nie odpuszczała.

Znów to słowo… Kiedy umysły nauczyły się stapiać i żadna myśl nie jest już całkowicie własna, a każde z nas wzięło tak wiele z drugiego, że już nigdy nie zazna samotności; gdy osiągnęło się stan, w którym patrzy się tymi samymi oczami, kocha jednym sercem, dzieli każdą radość; gdy są chwile takiej jedności, w której oddzielne są tylko ciała tęskniące za sobą… Gdy tak jest, jak można to opisać? Żadne z istniejących słów nie odda tego stanu.

— Kochamy się — przyznałem.

Sophie skinęła głową. Podniosła kilka patyków i spoglądała na nie, łamiąc je opalonymi palcami.

— On odjechał — tam, gdzie będą walczyć. Ona jest teraz bezpieczna.

— Zasnęła — powiedziałem. — Obie zasnęły.

Znów na mnie popatrzyła, zaskoczona.

— Skąd wiesz?

Wyjaśniłem jej krótko, najprościej jak potrafiłem. Słuchając, znów łamała patyczki. Skinęła głową.

— Przypominam sobie. Moja matka mówiła, że coś… że czasem zdawałeś się ją rozumieć, zanim coś powiedziała. To dlatego?

— Tak sądzę. Myślę, że twoja matka też w niewielkiej mierze posiadała tę zdolność, tylko o tym nie wiedziała.

— Musi być cudownie mieć coś takiego — powiedziała melancholijnie. — Jakby się miało więcej oczu, wewnątrz.

— Coś w tym rodzaju — przyznałem. — Trudno to wytłumaczyć. Jednak to nie zawsze jest cudowne. Czasem bardzo boli.

— Gdy masz jakąkolwiek dewiację, to bardzo boli, zawsze — powiedziała. Nadal siedziała w kucki, patrząc niewidzącym wzrokiem na swoje splecione na podołku dłonie. — Gdyby urodziła mu dzieci, już by mnie nie potrzebował — rzekła w końcu.

Wciąż było wystarczająco jasno, bym mógł dostrzec jej lśniące od łez policzki.

— Kochana Sophie — powiedziałem. — Czy ty kochasz tego człowieka-pająka?

— Och, nie nazywaj go tak, proszę! Nikt z nas nic nie poradzi na to, że jest, jaki jest. Ma na imię Gordon. Jest dla mnie dobry. Lubi mnie. Trzeba mieć tak mało, jak mam ja, żeby zrozumieć, jak wiele to znaczy. Ty nigdy nie zaznałeś samotności. Nie możesz zrozumieć tej okropnej pustki, jaka nas tu otacza. Chętnie urodziłabym mu dzieci, gdybym mogła... Ja... och, dlaczego oni nam to robią? Dlaczego mnie nie zabili? To byłoby lepsze od...

Siedziała i milczała. Łzy wydobywały się spod jej zaciśniętych powiek i spływały po twarzy. Wziąłem jej dłoń w moje.

Pamiętałem, jak odprowadzałem ich wzrokiem. Mężczyzna trzymał kobietę za rękę, a mała postać na grzbiecie jucznego konia machała do mnie, gdy znikali między drzewami. Stałem samotny, nadal czując na policzku wilgoć pocałunku, trzymając w ręku kosmyk włosów związanych żółtą wstążką. Patrzyłem na nią teraz i łamało mi się serce.

— Sophie — powiedziałem. — Sophie, kochanie. To się nie zdarzy. Rozumiesz? Tak się nie stanie. Rosalind nigdy na to nie pozwoli. Ja to wiem.

Znów otworzyła powieki i spojrzała na mnie oczami pełnymi łez.

— Nie możesz wiedzieć czegoś takiego o drugiej osobie. Próbujesz tylko mnie...

— Wcale nie, Sophie. Ja to wiem. Ty i ja możemy wiedzieć o sobie tylko trochę. Jednak ze mną i z Rosalind jest inaczej; to część tego, co się wiąże ze wspólnym myśleniem.

Popatrzyła na mnie z powątpiewaniem.

— Czy to prawda? Nie rozumiem, jak...

— Jak mogłabyś rozumieć? Jednak to prawda. Czuję, co ona myśli o… o tym człowieku.

Wciąż na mnie patrzyła, trochę niepewnie.

— Ty nie możesz czytać w moich myślach? — zapytała lekko zaniepokojona.

— Tak samo jak ty nie możesz czytać w moich — zapewniłem ją. — To nie jest szpiegowanie. Raczej jakby się mogło wypowiadać swoje myśli, jeśli się chce — albo zachować je dla siebie.

Trudniej było jej to wyjaśnić niż wujowi Axelowi, ale starałem się przekazać to prostymi słowami, aż nagle uświadomiłem sobie, że zaszło słońce i mówię do osoby, którą ledwie widzę. Zamilkłem.

— Czy jest już wystarczająco ciemno? — spytałem.

— Tak. Będziemy bezpieczni, jeśli pójdziemy ostrożnie — powiedziała. — Możesz chodzić? To niedaleko.

Wstałem, cały zesztywniały i obolały, ale bez żadnych poważnych obrażeń. Ona najwyraźniej lepiej ode mnie widziała w ciemności; wzięła mnie za rękę i poprowadziła. Trzymaliśmy się w cieniu drzew, ale po lewej widziałem migoczące ogniska i wiedziałem, że mijamy obozowisko. Szliśmy tak, aż dotarliśmy do niskiego klifu wznoszącego się po jego północno-zachodniej stronie, a potem wzdłuż niego, w mroku, jeszcze jakieś pięćdziesiąt jardów. Potem zatrzymała się i naprowadziła moją dłoń na jedną z tych topornych drabin, które widziałem przystawione do urwiska.

— Idź za mną — szepnęła i zaczęła się piąć w górę.

Ja wspinałem się ostrożniej, aż dotarłem na samą górę, gdzie drabina była oparta o skraj skalnej półki. Sophie wyciągnęła rękę i pomogła mi wejść.

— Usiądź — powiedziała.

Jaśniejszy otwór, przez który wszedłem, znikł. Kręciła się w ciemnościach, szukając czegoś. W końcu znalazła krzesiwo i trysnęły skry. Krzesała je, dopóki nie znalazła dwóch świec. Były krótkie i grube, a paliły się, kopcąc i okropnie cuchnąc, lecz w ich świetle zdołałem przyjrzeć się otoczeniu.

Znajdowaliśmy się w wykutej w piaskowcu jaskini głębokiej na piętnaście stóp, a szerokiej na dziewięć. Wejście do niej było zasłonięte kotarą ze skór. Na końcu komory w jednym kącie ze szczeliny w sklepieniu kapała woda, w miarowym rytmie około jednej kropli na sekundę. Wpadała do drewnianego wiadra; a jej nadmiar spływał wyżłobionym przez całą długość jaskini rowkiem do wyjścia. Drugi kąt zajmowało posłanie z gałęzi nakrytych skórami oraz postrzępionym kocem. Było też kilka misek i przyborów kuchennych. Osmalone palenisko w pobliżu wyjścia, teraz puste, znajdowało się przy pomysłowo wydrążonym szybie doprowadzającym powietrze. Z nisz w ścianach sterczały rękojeści kilku noży oraz innych przyborów. W pobliżu legowiska dostrzegłem włócznię, łuk i skórzany kołczan z kilkunastoma strzałami. Prócz tego było tam niewiele więcej.

Pomyślałem o kuchni w chacie Wenderów. O tym czystym, jasnym pomieszczeniu, które wydawało się tak przyjazne, ponieważ nie było w nim tabliczek na ścianach. Tu świece pełgały, śląc tłusty dym pod sklepienie i cuchnąc.

Sophie nalała do miski wody z wiadra, wyjęła z jednej niszy czystą szmatkę i podeszła z tym do mnie. Zmyła mi krew z twarzy i włosów, po czym obejrzała ranę.

— To tylko skaleczenie. Płytkie — orzekła pocieszająco.

Obmyłem dłonie w misce. Sophie wylała wodę do rowka, opłukała miskę i odłożyła ją.

— Jesteś głodny, Davidzie? — spytała.

— Bardzo — odparłem. Przez cały dzień nie miałem w ustach nic prócz tego, co zjadłem podczas naszego krótkiego postoju.

— Zostań tu. Zaraz wrócę — powiedziała mi i wymknęła się za skórzaną zasłonę.

Siedziałem, spoglądając na tańczące na skalnych ścianach cienie i słuchając cichego kapania kropel. Najprawdopodobniej, pomyślałem sobie, tu na Obrzeżach są to luksusowe warunki. „Trzeba mieć tak mało, jak mam ja…", powiedziała Sophie, chociaż nie miała na myśli dóbr materialnych. Aby uciec od tej samotności i nędzy, poszukałem towarzystwa Michaela.

— Gdzie jesteś? Co się dzieje? — zapytałem go.

— Rozbiliśmy obóz na noc — powiedział mi. — Jazda nocą jest zbyt niebezpieczna.

Spróbował pokazać mi obraz tego miejsca tuż przed zachodem słońca, ale niczym nie różniło się od tuzina innych, które minęliśmy po drodze.

— Jechaliśmy wolno i przez cały dzień, co było bardzo męczące. Ci ludzie z Obrzeży znają swoje lasy. Spodziewaliśmy się zasadzki, ale oni tylko wciąż nas ostrzeliwują i nękają. Straciliśmy trzech zabitych i siedmiu rannych — w tym dwóch ciężko.

— Jednak nadal jedziecie dalej?

— Tak. Panuje przekonanie, że skoro mamy tu teraz spore siły, to możemy dać mieszkańcom Obrzeży nauczkę, która przez jakiś czas powstrzyma ich od najazdów. Ponadto bardzo chcą złapać waszą trójkę. Rozeszła się pogłoska, że jest nas kilkudziesięciu, a może więcej, rozproszonych po Waknuk i sąsiednich okręgach, więc trzeba was sprowadzić, żeby wszystkich zidentyfikować.

Zamilkł na chwilę, a potem dodał z niepokojem i przygnębieniem:

— Rzecz w tym, Davidzie, że obawiam się — poważnie się obawiam — że została tam tylko jedna osoba.

— Jedna?

— Rachel nawiązała ze mną kontakt, ale na granicy swoich możliwości — bardzo słaby. Twierdzi, że coś się stało z Markiem.

— Złapali go?

— Nie. Ona uważa, że nie. Dałby jej znać, gdyby tak było. Po prostu zamilkł. Od dwudziestu czterech godzin nie ma od niego żadnej wiadomości.

— Może miał wypadek? Pamiętasz Waltera Brenta, tego chłopca, którego przygniotło drzewo? On też tak zamilkł.

— Możliwe. Rachel po prostu nie wie. Ona się boi: została zupełnie sama. Prawie poza zasięgiem, zresztą ja też. Jeszcze dwie lub trzy mile i stracimy kontakt.

— To dziwne, że nie odbierałem przynajmniej ciebie — zauważyłem.

— Pewnie byłeś wtedy nieprzytomny — podpowiedział.

— Cóż, kiedy Petra się zbudzi, skontaktuje się z Rachel — przypomniałem mu. — Jej zdolności wydają się nieograniczone.

— No tak, oczywiście. Zapomniałem o tym — przyznał. — To powinno pomóc Rachel.

Chwilę później zza zasłony przy wejściu wyłoniła się ręka trzymająca drewnianą miskę. Sophie weszła do jaskini i podała mi miskę. Przycięła knoty tych paskudnych świec, a potem usiadła na skórze jakiegoś nieznanego mi zwierzęcia, gdy ja jadłem drewnianą łyżką. Dziwna potrawa składała się chyba z pędów kilku gatunków roślin, pokrojonego w kostkę mięsa i pokruszonego chleba, ale była całkiem niezła, a ja byłem głodny. Zjadłem z apetytem prawie wszystko, gdy nagle poraził mnie przekaz tak silny, że zawartość ostatniej łyżki wylałem sobie na koszulę. Petra znów się zbudziła.

Natychmiast odpowiedziałem. Petra natychmiast przeszła od rozpaczy do euforii. To mnie bardzo mile połechtało, chociaż niemal równie mocno zabolało. Najwyraźniej obudziła Rosalind, ponieważ uchwyciłem jej obraz w chaosie tworzonym przez Michaela, który pytał, co się dzieje, oraz przez wystraszoną i protestującą przyjaciółkę Petry z Sealandu.

W końcu Petra opanowała się i zgiełk ucichł. Wyczułem, że wszyscy odetchnęli z ulgą.

— Czy nic jej nie grozi? — pytał Michael. — Jaki był powód tego potwornego zamieszania?

Petra wyjaśniła, z wyraźnym trudem tłumiąc słane myśli:

— Myślałyśmy, że David nie żyje. Że go zabili.

Teraz zacząłem odbierać myśli Rosalind, formujące z zamętu zrozumiały przekaz. Byłem jednocześnie skruszony, zachwycony, szczęśliwy i zasmucony. Nie potrafiłem posłać jej jasnej odpowiedzi, choć próbowałem. Michael wreszcie położył temu kres.

— Dla osób trzecich to po prostu nieprzyzwoite — zauważył. — Jak już się od siebie oderwiecie, to mamy inne sprawy do omówienia. — Odczekał chwilę i spytał: — Jak wygląda sytuacja?

Przedstawiliśmy mu ją. Rosalind i Petra ciągle były w tym namiocie, w którym ostatnio je widziałem. Człowiek-pająk wyjechał, pozostawiając pilnowanie ich rosłemu siwowłosemu mężczyźnie o różowych oczach. Wyjaśniłem, gdzie jestem.

— Bardzo dobrze — rzekł Michael. — Mówisz, że ten człowiek-pająk zdaje się sprawować tu władzę, a teraz pojechał tam, gdzie będą walczyć. Nie wiesz, czy zamierza wziąć w tym bezpośredni udział, czy tyko wydawać dyspozycje? Widzisz, jeśli to drugie, to może wrócić w każdej chwili.

— Nie mam pojęcia — wyznałem.

Rosalind wtrąciła się gwałtownie, bliska histerii, co nigdy się jej nie zdarzało.

— Boję się go. On jest inny. Nie taki jak my. Zupełnie inny. To byłoby okropne — jak ze zwierzęciem. Nie mogłabym, nigdy... Jeśli spróbuje mnie wziąć siłą, zabiję się...

Michael wylał na nią kubeł zimnej wody.

— Nie zrobisz niczego tak głupiego. Zabijesz człowieka-pająka, jeśli będzie trzeba. — I najwyraźniej uważając sprawę za załatwioną, skupił się na innej sprawie. Z pełną mocą swego przesyłu skierował pytanie do przyjaciółki Petry:

— Wciąż myślicie, że zdołacie do nas dotrzeć?

Odpowiedź przyszła z daleka, ale wyraźna i nadana już bez trudu:

— Tak.

— Kiedy? — zapytał Michael.

Tym razem odpowiedź poprzedziła krótka przerwa, jakby na konsultację.

— Za nie więcej niż szesnaście godzin od tej chwili — odpowiedziała z taką samą pewnością siebie.

Sceptycyzm Michaela zmalał. Po raz pierwszy pozwolił sobie uwierzyć, że pomoc może nadejść.

— Zatem to tylko kwestia zapewnienia wam bezpieczeństwa do tego czasu — rzekł z namysłem.

— Zaczekajcie. Tylko chwilkę — przesłałem im.

Spojrzałem na Sophie. Kopcące świece dawały dość światła, bym dostrzegł, że przygląda mi się uważnie i z lekkim niepokojem.

— „Rozmawiałeś" z tą dziewczyną? — spytała.

— I z moją siostrą. Już się zbudziły — powiedziałem jej. — Są w namiocie i pilnuje ich jakiś albinos. To dziwne.

— Dziwne? — dociekała.

— Cóż, można by sądzić, że będzie ich pilnowała kobieta...

— To są Obrzeża — przypomniała mi z goryczą.

— Och... rozumiem — powiedziałem niezręcznie. — No cóż, rzecz w tym... czy myślisz, że mogłyby stamtąd uciec, zanim on wróci? Wydaje mi się, że powinny. Bo kiedy wróci... — Wzruszyłem ramionami, nie odrywając od niej oczu.

Odwróciła wzrok i przez dłuższą chwilę wpatrywała się w świece. W końcu skinęła głową.

— Tak. To byłoby najlepsze dla nas wszystkich — odrzekła. — Dla wszystkich oprócz niego — dodała ze smutkiem. — Tak, myślę, że da się to zrobić.

— Teraz?

Znów kiwnęła głową. Podniosłem leżącą obok posłania włócznię i zważyłem ją w ręce. Była trochę zbyt lekka, ale dobrze wyważona. Sophie spojrzała na nią i pokręciła głową.

— Ty musisz zostać tutaj, Davidzie — powiedziała mi.

— Przecież... — zacząłem.

— Nie. Gdyby ktoś cię zobaczył, podniósłby alarm. Na mnie nikt nie zwróci uwagi, gdy będę wchodzić do jego namiotu. To miało sens. Odłożyłem włócznię, chociaż niechętnie.

— Tylko czy potrafisz...?

— Tak — odparła zdecydowanie. Wstała i podeszła do jednej z nisz. Wyjęła z niej nóż. Jego szeroka klinga była czysta i lśniąca. Zapewne był częścią zastawy kuchennej jakiejś obrabowanej farmy. Wetknęła go za pasek spódnicy, tak że wystawała tylko czarna rękojeść. Potem odwróciła się i patrzyła na mnie długą chwilę.

— Davidzie... — zaczęła niepewnie.

— Tak?

Zmieniła zdanie. Powiedziała bardziej stanowczym tonem:

— Powiesz im, żeby były cicho? Cokolwiek się stanie, mają być cicho. Powiedz, że mają pójść ze mną i niech sobie wcześniej przygotują jakieś ciemne okrycia. Przekażesz im to tak, żeby zrozumiały?

— Tak — zapewniłem ją. — Jednak wolałbym, żebyś pozwoliła mi...

— Nie, Davidzie. To tylko zwiększyłoby ryzyko. Nie znasz tego miejsca.

Zgasiła świece i rozpięła zasłonę. Przez moment widziałem jej sylwetkę na tle jaśniejszej plamy wejścia, a potem znikła.

Przekazałem jej instrukcje Rosalind i wytłumaczyliśmy Petrze, że ma być cicho. Potem nie miałem już nic do roboty, tylko czekać i słuchać cichego kapania wody w ciemności. Nie mogłem usiedzieć w miejscu. Podszedłem do wyjścia i wystawiłem głowę na zewnątrz. Między szałasami żarzyły się ogniska i wciąż kręcili się tam ludzie, sądząc po tym, że blask ognia chwilami znikał, najwyraźniej zasłaniany przez przechodzących. Słyszałem pomruk głosów, szmer poruszających się osób, ochrypły krzyk jakiegoś nocnego ptaka w pobliżu i zew jakiegoś zwierzęcia w oddali. Nic więcej.

Wszyscy czekaliśmy. Raz Petrze wymknął się mały i bezkształtny obraz mieszanych emocji. Nikt tego nie skomentował.

Potem Rosalind wysłała uspokajający obraz „wszystko w porządku", dziwnie zabarwiony zaskoczeniem. Wydało się nam, że lepiej będzie ich teraz nie rozpraszać, pytając, jaki był tego powód.

Nasłuchiwałem. Nie wszczęto alarmu: cichy szmer głosów się nie zmienił. Miałem wrażenie, że minęło sporo czasu, zanim usłyszałem chrzęst czyichś kroków na żwirze poniżej wejścia. Szczeble drabiny cicho ocierały się o skałę pod czyimś ciężarem. Cofnąłem się w głąb jaskini, schodząc z drogi. Rosalind spytała cicho i z lekkim powątpiewaniem:

— To tutaj? Jesteś tam, Davidzie?

— Tak. Wejdźcie — powiedziałem.

W otworze wejściowym pojawiła się postać. Potem druga, trochę mniejsza, i jeszcze jedna. Otwór wejściowy zasłonięto. W końcu znów zapłonęły świece.

Rosalind i Petra w milczeniu patrzyły ze zgrozą na Sophie, gdy nabrała miską wody z wiadra, żeby zmyć krew z rąk i noża.

Rozdział 16

Obie dziewczyny przyjrzały się sobie czujnie i z zaciekawieniem. Sophie obrzuciła spojrzeniem Rosalind, jej rdzawą wełnianą suknię z naszytym brązowym krzyżem, i na moment zatrzymała wzrok na skórzanych butach. Zerknęła na swoje miękkie mokasyny, a potem na krótką, postrzępioną spódnicę. W czasie tych oględzin odkryła na swojej koszuli nowe plamy, których nie było tam pół godziny wcześniej. Bez skrępowania zdjęła ją i zamoczyła w zimnej wodzie. A do Rosalind powiedziała:

— Musisz się pozbyć tego krzyża. Ona też — dodała, zerkając na Petrę. — To was wyróżnia. My, kobiety z Obrzeży, nie uważamy, że dobrze się nam przysłużył. Mężczyźni też go nie cierpią. Masz.

Wzięła z niszy nożyk o wąskiej klindze i podała jej.

Rosalind wzięła go niezdecydowanie. Spojrzała nań, a potem na krzyż, który widniał na każdej sukni, jaką kiedykolwiek nosiła. Sophie obserwowała ją.

— Ja również taki nosiłam — powiedziała. — Też w niczym mi nie pomógł.

Rosalind popatrzyła na mnie, ciągle niezdecydowana. Skinąłem głową.

— W tych stronach niezbyt lubią, jak ktoś upiera się przy prawdziwym obrazie. To może być niebezpieczne.

Spojrzałem na Sophie.

— I jest — rzekła. — Ponieważ to nie tylko znak, ale i wyzwanie.

Rosalind niechętnie zaczęła przecinać szwy.

— I co teraz? — zapytałem Sophie. — Czy nie powinniśmy odejść stąd jak najdalej, zanim się rozwidni?

Sophie, wciąż namaczając koszulę, pokręciła głową.

— Nie. W każdej chwili mogą go znaleźć. Kiedy znajdą, rozpoczną poszukiwania. Pomyślą, że to wy go zabiliście, a potem wszyscy troje uciekliście do lasu. Nigdy nie wpadną na to, żeby szukać was tutaj, bo dlaczego by mieli to robić? Natomiast przetrząsną całą okolicę.

— Chcesz powiedzieć, że mamy tu zostać? — zapytałem.

Kiwnęła głową.

— Przez dwa, może nawet trzy dni. Potem, kiedy przestaną szukać, wyprowadzę was stąd.

Rosalind na chwilę oderwała wzrok od gorsu swojej sukni.

— Dlaczego robisz dla nas to wszystko? — zapytała.

Znacznie szybciej, niż zdołałbym opisać to słowami, wyjaśniłem jej związek Sophie z człowiekiem-pająkiem. Nie wydawała się w pełni usatysfakcjonowana. Obie z Sophie nadal bacznie przyglądały się sobie w migotliwym świetle świec.

Sophie z pluskiem upuściła koszulę do wody. Powoli się wyprostowała. Nachyliła się do Rosalind, patrząc na nią zwężonymi oczami; pukle czarnych włosów opadły jej na nagie piersi.

— Niech cię szlag — rzuciła wściekle. — Daj mi spokój, niech cię szlag.

Rosalind spięła się gotowa do ataku. Przesunąłem się tak, żeby rozdzielić je w razie potrzeby. Przez kilka długich sekund trwaliśmy tak nieruchomo. Sophie, zaniedbana, półnaga w obszarpanej spódnicy i groźna; Rosalind w brązowej sukni z krzyżem zwisającym na jednym nieodprutym ramieniu, z ciemnoblond włosami lśniącymi w blasku świec, skupionym wyrazem twarzy i czujnymi oczami. Potem kryzys minął i napięcie opadło. Groźny błysk w oczach Sophie zgasł, ale się nie ruszyła. Skrzywiła się i zadrżała. Rzuciła szorstko i gorzko:

— Idź do diabła! — powtórzyła. — No już, śmiej się ze mnie, niech cię diabli z tą twoją śliczną buzią. Śmiej się z tego, że go pragnę, ja! — Parsknęła dziwnym, zduszonym śmiechem. — I jaki to ma sens? O Boże, jaki to ma sens? Nawet gdyby nie kochał ciebie, to co by mu było po mnie — takiej, jaka jestem?

Skryła twarz w dłoniach i stała tak przez chwilę, cała drżąca, po czym odwróciła się i padła na posłanie z gałęzi.

Patrzyliśmy w ten ciemny kąt. Jeden mokasyn spadł. Widziałem brązową, brudną podeszwę jej stopy i rząd sześciu palców. Obróciłem się do Rosalind. Napotkałem jej skruszone i przerażone spojrzenie. Odruchowo chciała wstać. Pokręciłem głową i po chwili wahania usiadła z powrotem.

W jaskini słychać było tylko rozpaczliwy, niepohamowany szloch i miarowe kapanie kropel wody.

Petra spojrzała na nas, potem na postać na posłaniu i znów na nas — wyczekująco. Gdy żadne z nas się nie ruszyło, najwyraźniej postanowiła przejąć inicjatywę. Podeszła do posłania i zatroskana uklękła obok. Delikatnie położyła dłoń na ciemnych włosach.

— Nie płacz — powiedziała. — Proszę, nie płacz.

Szloch nagle przycichł. Po chwili zaskoczenia opalona ręka objęła ramiona Petry. Płacz stał się mniej rozpaczliwy… już nie łamał serca, ale pozostawiał je poranione i obolałe…

Zbudziłem się niechętnie, zesztywniały i zziębnięty od leżenia na twardej skale. Niemal natychmiast skarcił mnie Michael:

— Zamierzałeś spać cały dzień?

Spojrzałem i przez szparę w zasłonie drzwi zobaczyłem skrawek dziennego światła.

— Która godzina? — spytałem.

— Chyba koło ósmej. Jest jasno od trzech godzin i już stoczyliśmy bitwę.

— Co się stało? — zapytałem.

— Wyczuliśmy zasadzkę, więc wysłaliśmy oddział oskrzydlający. Starł się z ich odwodami, które czekały, by wejść do akcji; w każdym razie rozgromiliśmy ich kosztem kilku rannych po naszej stronie.

— Zatem zbliżacie się?

— Tak. Przypuszczam, że gdzieś tam znów się zbiorą, ale na razie poszli w rozsypkę. Nie napotykamy żadnego oporu.

To w żadnym razie nie było po naszej myśli. Wyjaśniłem mu, w jakiej jesteśmy sytuacji, i że z pewnością nie uda nam się za dnia niepostrzeżenie opuścić jaskini. Natomiast jeśli tu zostaniemy, a obóz zostanie zdobyty, to niewątpliwie go przeszukają i nas znajdą.

— A co z przyjaciółmi Petry z Sealandu? — spytał Michael. — Jak myślisz, naprawdę możemy na nich liczyć?

Na to, trochę chłodno, odezwała się przyjaciółka Petry:

— Możecie na nas liczyć.

— Czy szacowany czas waszego przybycia się nie zmienił? Nie przybędziecie później? — pytał Michael.

— Nie zmienił się — zapewniła nas. — W przybliżeniu osiem i pół godziny od teraz.

Potem z jej myśli znikł odcień lekkiej irytacji i pojawiło się coś w rodzaju nabożnego podziwu.

— To naprawdę okropna kraina. Widzieliśmy już Pustkowia, ale nie wyobrażaliśmy sobie czegoś tak strasznego. Są całe połacie, rozpościerające się na wiele mil, gdzie ziemia wygląda jak stopione i zastygłe czarne szkło; nie ma tam nic, tylko ta szklista skorupa niczym ocean zamarzniętego atramentu... potem pas Pustkowi... i kolejny obszar czarnego szkła. I tak bez końca... Co oni tu zrobili? W jaki sposób stworzyli tak przerażające miejsce? Nic dziwnego, że nikt z nas jeszcze nigdy się tu nie zapuścił. To jak podróż za krawędź świata, do przedsionka piekła... To kraina stracona na zawsze, na której nigdy nie odrodzi się życie... Tylko dlaczego? Dlaczego? Dlaczego? Wiemy, że boska moc znalazła się w rękach dzieci; lecz czy były ono szalone, wszystkie i całkowicie? Te góry popiołów i równiny z czarnego szkła — wciąż, po tylu wiekach! To straszne, straszne... potworne szaleństwo... Strach pomyśleć, że cały ludzki gatunek mógł oszaleć... gdybyśmy nie wiedzieli, że jesteście po drugiej stronie, zawrócilibyśmy i uciekli...

Petra przerwała jej, gwałtownie zacierając wszystko swoją rozpaczą. Nie wiedzieliśmy, że nie śpi. Nie wiedziałem, co zrozumiała z tego wszystkiego, ale najwyraźniej pochwyciła myśl o powrocie. Starałem się ją uspokoić i po chwili kobieta z Sealandu znów zdołała się połączyć i podnieść ją na duchu. Po chwili Petra doszła do siebie.

Michael przesłał pytanie:

— Davidzie, a co z Rachel?

Przypomniałem sobie jego obawy z poprzedniego dnia.

— Petra, kochanie — powiedziałem — jesteśmy już za daleko

i nikt z nas nie może się skontaktować z Rachel. Możesz ją o coś spytać?

Petra kiwnęła głową.

— Chcemy wiedzieć, czy dowiedziała się czegoś o Marku od czasu, gdy rozmawiała z Michaelem — wyjaśniłem.

Petra zapytała o to. Po chwili pokręciła głową.

— Nie — powiedziała. — Nic o nim nie wie. Myślę, że jest bardzo przybita. Pyta, czy z Michaelem wszystko w porządku.

— Prześlij jej, że nic mu nie jest — i nam też. Zapewnij ją, że ją kochamy i bardzo nam przykro, że jest tam sama, ale musi być dzielna i ostrożna. Nie może po sobie okazać, że się martwi.

— Ona to rozumie. Mówi, że spróbuje — zameldowała Petra.

Zamyśliła się. Potem powiedziała do mnie słowami: — Rachel się boi. Płacze wewnątrz. Chce być z Michaelem.

— Powiedziała ci to? — zapytałem.

Petra pokręciła głową.

— Nie. To było jakby skryte pod przekazem, ale odebrałam tę myśl.

— Lepiej o tym nie mówmy — zdecydowałem. — To nie nasza sprawa. Takie skrywane myśli nie są przeznaczone dla innych ludzi, więc musimy udawać, że o tym nie wiemy.

— Dobrze — pogodnie zgodziła się Petra.

Miałem nadzieję, że będzie dobrze. Kiedy się nad tym zastanowiłem, wcale nie byłem pewny, czy podoba mi się to czytanie skrywanych myśli. Budziło niepokój i wspomnienia...

Sophie zbudziła się kilka minut później. Znów sprawiała wrażenie opanowanej i energicznej, jakby burza miotających nią uczuć ucichła. Odesłała nas na sam koniec jaskini i rozpięła zasłonę, żeby wpuścić światło dnia. Potem roznieciła ogień na palenisku. Większość dymu uchodziła przez wejście, reszta pozostawała w środku, co miało przynajmniej tę zaletę, że zasłaniał wnętrze jaskini. Do żelaznego garnka wsypała po miarce zawartości dwóch czy trzech woreczków, wlała trochę wody i postawiła gar na ogniu.

— Pilnuj — poleciła Rosalind i znikła, schodząc po drabinie. Wróciła po około dwudziestu minutach. Rzuciła na próg kilka krążków twardego chleba i wspięła się na górę. Podeszła do garnka, zamieszała w nim i powąchała zawartość.

— Jakieś kłopoty? — spytałem.

— Nie w związku z nami — odparła. — Znaleźli go. Myślą, że ty to zrobiłeś. Wczesnym rankiem przeprowadzili poszukiwania — a przynajmniej próbowali. Byłyby dokładniejsze, gdyby mieli więcej ludzi. Teraz jednak mają inne zmartwienia. Ludzie, którzy poszli walczyć, wracają po dwóch lub trzech. Wiesz, co się stało?

Powiedziałem jej o nieudanej zasadzce i braku oporu będącym rezultatem tej porażki.

— Jak daleko się zapuścili? — chciała wiedzieć.

Zapytałem Michaela.

— Wyjechaliśmy z lasu na otwartą przestrzeń i nierówny teren — poinformował mnie.

Przekazałem to Sophie. Skinęła głową.

— Trzy godziny, może trochę mniej, do brzegu rzeki — powiedziała.

Nałożyła do misek porcje owsianki z garnka. Potrawa smakowała lepiej, niż wyglądała. Chleb był mniej smaczny. Kamieniem rozkruszyła jeden krążek na kawałki, które trzeba było namaczać w wodzie, żeby dało się je zjeść. Petra narzekała, że nie jest to takie dobre jedzenie, jakie mieliśmy w domu. To przypomniało jej o czymś. Niespodziewanie zadała pytanie:

— Michaelu, czy jest tam mój ojciec?

Zaskoczyła go. Przechwyciłem jego „tak", zanim zdążył się powstrzymać.

Spojrzałem na Petrę, mając nadzieję, że nie pojmuje znaczenia tego faktu. Na szczęście nie pojęła. Rosalind opuściła miskę na podołek i spoglądała w nią bez słowa.

Podejrzenie w dziwnie małej mierze uodparnia na szok wywołany jego potwierdzeniem. Pamiętałem słowa ojca, fanatyczne, bezlitosne. Wiedziałem, jaki miał wyraz twarzy, jakbym ją widział, gdy to mówił.

— Dziecko, które... wyrosłoby, żeby się rozmnażać, a przez to szerzyć nieczystość, aż wszędzie wokół nas byłoby pełno mutantów i obrzydliwości. Tak właśnie stało się w miejscach, gdzie wola i wiara są słabe; tu n i g d y się to nie zdarzy.

A potem słowa ciotki Harriet:

— Będę się modliła do Boga, żeby zesłał miłosierdzie na ten ohydny świat...

Biedna ciotka Harriet i jej modlitwy, równie daremne jak jej nadzieje...

Co to za świat, w którym człowiek bierze udział w polowaniu na swojego syna! Co to za człowiek?

Rosalind położyła dłoń na moim ramieniu. Sophie spojrzała na mnie. Zobaczyła moją minę i zaniepokoiła się.

— Co się stało? — spytała.

Rosalind powiedziała jej. Sophie szeroko otworzyła oczy ze zgrozy. Przeniosła spojrzenie ze mnie na Petrę, a potem, z lekkim rozbawieniem, znów na mnie. Otworzyła usta, aby coś powiedzieć, ale zaraz spuściła oczy, pozostawiając myśl niewypowiedzianą. Ja też popatrzyłem na Petrę, a potem na Sophie, na jej łachmany i jaskinię, w której się ukrywaliśmy...

— Czystość... — powiedziałem. — Wola boska. Czcij ojca swego... Mam mu przebaczyć! Czy może spróbować go zabić?

Odpowiedź mnie zaskoczyła. Nie zdawałem sobie sprawy, że wysłałem tę myśl do wszystkich.

— Zostawcie go w spokoju — przesłała jasno i wyraźnie kobieta z Sealandu. — Waszym zadaniem jest przetrwać. Ani tacy jak on, ani taki sposób myślenia nie przetrwają długo. Są ukoronowaniem dzieła stworzenia, spełnieniem ambicji — nic więcej im już nie pozostało. Jednak życie to zmiana i tym się różni od skał — zmiana jest istotą jego natury. Kimże więc byli niedawni panowie stworzenia, że spodziewali się pozostać niezmienieni? Forma życia, która rzuca wyzwanie ewolucji, jest zagrożeniem dla siebie: jeśli się nie przystosuje, zginie. Koncepcja idealnego człowieka jest przejawem skrajnej pychy; prawdziwy obraz jest świętokradczym mitem. Dawni Ludzie sprowadzili na ten świat Udrękę i zostali przez nią starci w proch. Twój ojciec i jemu podobni są tym prochem. Są już historią, choć jeszcze nie zdają sobie z tego sprawy. Wciąż uważają, że jest jakaś ostateczna forma, której trzeba bronić; wkrótce osiągną tę stabilizację, której pragną, w jedynej możliwej postaci — miejsca wśród skamielin…

Słane przez nią obrazy stały się mniej ostre i wyraziste. Przybrały łagodniejszy kształt, ale najwyraźniej wpadła w oratorski nastrój, gdyż dodała:

— Dobrze jest przy matczynej piersi, ale kiedyś trzeba się od niej oderwać. Uzyskanie niezależności, zerwanie więzów jest w najlepszym razie przykrym procesem dla obu stron, jest jednak konieczne, nawet jeśli obie mogą mieć to sobie za złe wzajemnie. Pępowina już została przecięta na jednym końcu; jeśli nie przetniecie jej na swoim, tylko się zaplączecie. Bez względu na to, czy skrajna nietolerancja i prześladowania są zbroją chroniącą przed strachem i rozczarowaniem, czy przebraniem sadysty, skrywają wroga siły życiowej. Różnice gatunkowe można rozwiązać tylko samopoświęceniem — ich samopoświęceniem,

gdyż wasze niczego by nie rozwiązało. Stąd potrzeba zerwania więzów. My mamy do zdobycia nowy świat, oni mają tylko
straconą sprawę.

Zamilkła, pozostawiając mnie lekko rozbawionego. Rosalind też chyba niezupełnie ją zrozumiała. Petra sprawiała wrażenie znudzonej.

Sophie przyglądała się nam z zaciekawieniem.

— Postronna osoba czuje się przy was nieswojo — powiedziała. — Czy jest coś, co powinnam wiedzieć?

— No cóż… — zacząłem i urwałem, zastanawiając się, jak
to ująć.

— Ona chyba powiedziała, żebyśmy nie przejmowali się
moim ojcem, bo on nie rozumie — stwierdziła Petra.

Uznałem to za dobre podsumowanie.

— Ona? — dociekała Sophie.

Przypomniałem sobie, że ona nic nie wie o ludziach z Sealandu.

— Och, przyjaciółka Petry — powiedziałem wymijająco.

Sophie siedziała blisko wyjścia, a my w głębi jaskini, niewi-
doczni z dołu. W końcu wystawiła głowę na zewnątrz i spojrzała na obóz.

— Właśnie wróciło wielu naszych mężczyzn — chyba większość. Niektórzy zebrali się przy namiocie Gordona, a pozostali
zmierzają tutaj. On pewnie też wrócił.

Nadal się temu przyglądała, dojadając zawartość miski.
W końcu ją odstawiła.

— Sprawdzę, czego zdołam się dowiedzieć — powiedziała
i znikła, schodząc po drabinie.

Nie było jej całą godzinę. Raz czy dwa zaryzykowałem rzut
oka i dostrzegłem człowieka-pająka przed jego namiotem. Zdawał się dzielić swoich ludzi na oddziały i dawać im instrukcje,
rysując coś na ziemi.

— Co się dzieje? — zapytałem Sophie, gdy wróciła. — Jaki jest plan?

Zawahała się, patrząc na mnie niepewnie.

— Na miłość boską — powiedziałem jej — przecież my chcemy, żeby wasi zwyciężyli, prawda? Jednak nie chcemy, żeby Michaelowi stała się krzywda, jeśli możemy temu zapobiec.

— Zastawimy zasadzkę na tym brzegu rzeki — powiedziała.

— Pozwolicie się im przeprawić?

— Po drugiej stronie nie da się stworzyć linii obrony — wyjaśniła.

Zaproponowałem Michaelowi, żeby pozostał na tamtym brzegu, albo — jeśli nie będzie mógł — wpadł do wody podczas przeprawy i dał się porwać nurtowi rzeki. Powiedział, że będzie pamiętał o tej propozycji, ale spróbuje wymyślić jakiś lepszy sposób.

Kilka minut później usłyszeliśmy, jak ktoś woła z dołu Sophie. Szepnęła:

— Nie pokazujcie się. To on. — Po czym pospiesznie wybiegła i zeszła po drabinie.

Potem przez ponad godzinę nic się nie zdarzyło, dopóki znów nie odezwała się kobieta z Sealandu:

— Odpowiedzcie, proszę. Musimy teraz dokładniej ustalić waszą pozycję. Po prostu ślijcie liczby.

Petra zrobiła to energicznie, jakby czuła się trochę odsunięta na bok.

— Wystarczy — powiedziała jej kobieta z Sealandu. — Poczekaj chwilkę. — W końcu dodała: — Lepiej, niż liczyliśmy. Możemy skrócić szacowany czas o godzinę.

Minęło kolejne pół godziny. Kilkakrotnie rzuciłem okiem na zewnątrz. Teraz obozowisko wydawało się prawie opuszczone. Przy szałasach kręciło się tylko kilka starszych kobiet.

— Rzeka w polu widzenia — zameldował Michael.

Minęło około piętnastu do dwudziestu minut, gdy znów się zgłosił.

— Spaprali to, głupcy — oznajmił. — Zauważyliśmy, że paru z nich przemieszcza się na szczycie urwiska. Chociaż to nie robi żadnej różnicy — ta wyrwa w skałach to zbyt oczywista pułapka. Zwołują naradę wojenną.

Narada najwidoczniej była krótka. Po niecałych dziesięciu minutach Michael znów nadał:

— Mamy plan. Wycofamy się i zajmiemy stanowiska naprzeciw wyrwy. Tam, pod osłoną skał, zostawimy kilku ludzi, żeby od czasu do czasu się pokazywali i sprawiali wrażenie, że jest ich więcej, a także palili ogniska sugerujące, że tam obozujemy. Pozostałe siły rozdzielą się na dwa oddziały, które przeprawią się w górze oraz w dole rzeki, i uderzą z flanki. Weźmiemy przeciwnika w kleszcze za wyrwą. Lepiej ich o tym poinformuj, jeśli możesz.

Obozowisko znajdowało się w niewielkiej odległości za nadrzecznymi skałami. Było dość prawdopodobne, że możemy zostać złapani w te kleszcze. Ponieważ zostało tu niewiele osób, w tym — jeśli dobrze widziałem — głównie kobiety, to zapewne moglibyśmy przedostać się do lasu... Czy może wpadlibyśmy na jeden z tych dwóch oddziałów zaciskających kleszcze? Spojrzałem ponownie, kalkulując, i zauważyłem, że niektóre z kobiet trzymają teraz łuki i powtykały w ziemię strzały, żeby mieć je pod ręką. Zmieniłem zdanie co do szybkiego odwrotu przez obóz.

Poinformuj, powiedział Michael. Dobry pomysł. Tylko jak? Nawet gdybym zaryzykował i zostawił Rosalind z Petrą same, to miałbym wyjątkowo nikłe szanse przekazania tej informacji. Po pierwsze, człowiek-pająk kazał mnie zabić. Po drugie, nawet z daleka nie wyglądałem na mieszkańca Obrzeży, co w tych okolicznościach byłoby wystarczającym powodem, żeby od razu mnie zastrzelić.

Bardzo chciałem przekazać wiadomość Sophie, ale daremnie czekałem na nią około godziny.

— Jesteśmy na drugim brzegu rzeki, naprzeciwko was. Nie napotykamy oporu — powiedział nam Michael.

Czekaliśmy dalej.

Nagle gdzieś w lesie po lewej padł strzał. Po nim jeszcze cztery, chwila ciszy i kolejne dwa.

Po kilku minutach z lasu wybiegła gromada ludzi w łachmanach, wśród których było wiele kobiet; opuścili miejsce planowanej zasadzki i zmierzali w stronę miejsca, w którym padły strzały. Tworzyli żałosną, nędzną gromadę. Sporo osób miało widoczne dewiacje, ale większość wyglądała jak zwyczajni, tylko wymizerowani ludzie. Tylko u trzech lub czterech zauważyłem strzelby. Reszta miała łuki, a wielu także krótkie włócznie przytroczone na plecach. Człowiek-pająk wyróżniał się wśród nich, wyższy od pozostałych, a tuż przy nim zobaczyłem Sophie, z łukiem w dłoni. Jeśli mieli jakiś plan zorganizowanej obrony, to najwidoczniej już się załamał.

— Co się dzieje? — zapytałem Michaela. — Czy to wasz oddział strzelał?

— Nie. To druga grupa. Próbują zwabić ludzi z Obrzeży, żebyśmy mogli zajść ich z drugiej strony i uderzyć od tyłu.

— Udaje im się to — poinformowałem go.

Z tego samego kierunku co poprzednio dobiegł nas huk kolejnych wystrzałów. Potem wybuchła wrzawa. Kilka zabłąkanych strzał spadło na lewy kraniec polany. Jacyś ludzie wracali biegiem spomiędzy drzew.

Nagle przyszło donośne, wyraźne pytanie:

— Wciąż jesteście bezpieczni?

Wszyscy troje leżeliśmy teraz na kamieniach tuż przy wyjściu z jaskini. Widzieliśmy stąd, co się dzieje, a było mało prawdopodobne, że ktoś nas zauważył i zaniepokoiła go nasza obecność.

Rozwój wydarzeń był oczywisty nawet dla Petry. Podekscytowana wysłała pospieszny sygnał.

— Spokojnie, dziecko, spokojnie! Przybywamy — przestrzegała kobieta z Sealandu.

Więcej strzał spadło na lewy kraniec polany i pojawiło się tam więcej obszarpanych postaci w pospiesznym odwrocie. Biegiem wrócili do obozowiska, robiąc uniki, chroniąc się za osłoną namiotów i szałasów. Po nich przybiegli następni, zasypywani strzałami słanymi z lasu. Ludzie z Obrzeży kryli się, co i raz wychylając się zza osłony i strzelając do postaci ledwie widocznych wśród drzew.

Niespodziewanie grad strzał nadleciał z drugiej strony polany. Obrońcy zostali wzięci w dwa ognie i wpadli w panikę. Większość z nich poderwała się i pobiegła w kierunku jaskiń. Przygotowałem się do odepchnięcia drabiny, gdyby któryś z nich spróbował się wspiąć do naszej.

Pojawiło się kilku jeźdźców, którzy wyjechali spomiędzy drzew po prawej. Zobaczyłem człowieka-pająka. Z łukiem w ręku stał przy swoim namiocie, obserwując ich. Obok niego Sophie ciągnęła go za wystrzępioną kurtkę, ponaglając do ucieczki w stronę jaskiń. Odepchnął ją długą ręką, nie odrywając oczu od nadjeżdżających. Nałożył strzałę na cięciwę i trzymał na pół napięty łuk. Ciągle wypatrywał kogoś wśród jeźdźców.

Nagle zesztywniał. Błyskawicznie uniósł napięty łuk. Wypuścił strzałę. Trafiła mojego ojca w pierś, po lewej stronie. Ojciec drgnął i odchylił się do tyłu, na zad Sheby. Potem zsunął się z konia i upadł na ziemię, z lewą nogą wciąż tkwiącą w strzemieniu.

Człowiek-pająk rzucił łuk i odwrócił się. Długimi rękami złapał Sophie i zaczął uciekać. Nim zrobił więcej niż trzy długie kroki, trafiły go jednocześnie dwie strzały: w plecy i w bok. Upadł.

Sophie zerwała się z ziemi i zaczęła uciekać sama. Strzała przeszyła jej ramię, ale biegła dalej, z drzewcem tkwiącym w ciele. Następna trafiła ją w kark. Zastygła w pół kroku, a potem osunęła się w pył...

Petra nie widziała tego. Ze zdumieniem rozglądała się wokół.

— Co to? — spytała. — Co to za dziwny dźwięk?

Odezwała się kobieta z Sealandu. Mówiła spokojnym, budzącym zaufanie tonem:

— Nie bójcie się. Przybywamy. Wszystko w porządku. Zostańcie tam, gdzie jesteście.

Teraz słyszałem ten odgłos. Dziwne dudnienie, przybierające na sile. Nie dało się go umiejscowić — zdawało się dobiegać zewsząd i znikąd.

Z lasu wyłaniały się kolejne postacie, większość na koniach. Wielu z nich rozpoznałem: ludzie, wśród których żyłem od urodzenia, teraz połączyli siły, żeby na nas polować. Większość mieszkańców Obrzeży schroniła się w jaskiniach, z których prowadzili skuteczniejszy ostrzał.

Nagle jeden z jeźdźców krzyknął i wskazał coś na niebie.

Ja też spojrzałem w górę. Niebo nie było już błękitne. Przesłonił je jakby welon mgły przetykany opalizującymi rozbłyskami. Zawisł nad nami. Ponad nim, jak przez woal, dostrzegłem wiszącą na niebie jedną z tych dziwnych rybokształtnych maszyn, o których śniłem w dzieciństwie. Mgła nie pozwalała dostrzec szczegółów, ale to, co widziałem, było takie, jak pamiętałem: biały, błyszczący kształt, a nad nim coś ledwie widoczne i wirujące ze świstem. Maszyna opadała ku nam, coraz większa i głośniejsza.

Gdy oderwałem od niej wzrok, ujrzałem kilka lśniących nitek, cienkich jak pajęczyna, unoszących się przed wejściem do jaskini. Potem pojawiło się ich więcej, wirując w powietrzu i migocząc w słońcu.

Przestano strzelać. Na całej polanie najeźdźcy opuścili łuki i strzelby, spoglądając w niebo. Wytrzeszczali oczy ze zdumienia, aż nagle ci po lewej wrzasnęli z przerażenia i rzucili się do ucieczki. Po prawej spłoszone konie stawały dęba, rżały i pierzchały na wszystkie strony. W kilka sekund na polanie zapanował totalny chaos. Uciekający ludzie wpadali na siebie, spłoszone konie tratowały nędzne szałasy i potykały się o linki namiotów, zrzucając jeźdźców.

Odszukałem Michaela.

— Tutaj! — powiedziałem mu. — Tędy. Chodź tu do nas.

— Idę — przesłał.

Wtedy go zobaczyłem. Wstawał z ziemi tuż obok leżącego i wierzgającego konia. Spojrzał w kierunku naszej jaskini, dostrzegł nas i pomachał ręką. Obrócił się, żeby popatrzeć na maszynę na niebie. Wciąż łagodnie opadała i teraz była już zaledwie kilkaset stóp nad nami. Pod nią wirowała i kłębiła się ta dziwna mgła.

— Idę — powtórzył. Obrócił się do nas i ruszył. Potem przystanął i dotknął czegoś na swoim ramieniu. Jego dłoń pozostała tam.

— To dziwne — przesłał nam. — Jak pajęczyna, ale kleiste. Nie mogę oderwać dłoni... — Nagle wpadł w panikę. — Przykleiła się. Nie mogę ruszyć ręką!

Włączyła się kobieta z Sealandu, spokojnie radząc:

— Nie walcz z tym. Tylko się zmęczysz. Połóż się, jeśli możesz. Zachowaj spokój. Po prostu czekaj. Leż nieruchomo na ziemi, żebyś nie został tym owinięty.

Michael usłuchał tych poleceń, chociaż w jego myślach nie było pewności siebie. Nagle sobie uświadomiłem, że na całej polanie ludzie szarpią odzież, usiłując pozbyć się tego czegoś, lecz gdy tylko tego dotkną, nie mogą oderwać od tego dłoni. Szamotali się jak muchy w syropie, a przez cały czas opadało na nich coraz więcej nitek. Większość ludzi walczyła z tym przez kilka sekund, a potem próbowali uciec pod osłonę drzew. Robili najwyżej trzy kroki, zanim ich nogi się skleiły, i padali na ziemię. Leżące już na niej nitki oklejały ich jeszcze bardziej. Więcej nitek opadało na nich z góry, gdy szamotali się i miotali, aż w końcu nieruchomieli. Koniom nie szło lepiej. Widziałem, jak jeden dotknął zadem niewielkiego krzaka. Gdy próbował odskoczyć, wyrwał go z korzeniami. Krzak okręcił się i dotknął drugiej tylnej nogi konia, sklejając obie. Koń upadł i leżał, wierzgając — przez chwilę.

Opadające z góry pasmo przywarło do grzbietu mojej dłoni. Kazałem Rosalind i Petrze wrócić do jaskini. Spojrzałem na tę nić, nie ważąc się dotknąć jej drugą ręką. Powoli i ostrożnie obróciłem dłoń, po czym spróbowałem zeskrobać nitkę, pocierając o skałę. Nie dość ostrożnie. Ruch przyciągnął tę i inne nitki, które powoli osiadły na mnie i przykleiły moją dłoń do skały.

— Tam są! — zawołała Petra głosem i myślą.

Spojrzałem i zobaczyłem błyszczącą białą rybokształtną maszynę osiadającą na środku polany. Opadając, wzbijała chmurę wirujących nitek, które strumień powietrza roznosił wokół. Zobaczyłem, jak unosząc się przed wejściem do jaskini, falują w powietrzu, a potem wpływają do środka. Mimo woli zamknąłem oczy. Poczułem na twarzy lekkie jak piórko dotknięcie. Gdy znów spróbowałem otworzyć oczy, nie zdołałem.

Rozdział 17

Trzeba dużej siły woli, żeby leżeć zupełnie nieruchomo, gdy czujesz, jak coraz więcej lekkich jak piórko, łaskoczących i lepkich nitek opada ci na twarz i dłonie, a jeszcze większej, gdy czujesz, jak te, które opadły najpierw, uciskają twoją skórę jak sznurki i lekko ją naciągają.

Przechwyciłem myśl Michaela, który nieco przestraszony zastanawiał się, czy to nie podstęp i czy nie byłoby lepiej spróbować uciec. Zanim zdążyłem odpowiedzieć, kobieta z Sealandu włączyła się ponownie, każąc nam się uspokoić i cierpliwie czekać. Rosalind z naciskiem powtórzyła to Petrze.

— Was też to złapało? — spytałem.

— Tak — odrzekła. — Podmuch powietrza wzbijanego przez maszynę wepchnął to do jaskini… Petra, kochanie, słyszałaś, co ona mówiła. Musisz leżeć nieruchomo.

Gdy maszyna opadała, cichł jej warkot i świst zagłuszający wszystkie inne odgłosy. W końcu ustał. Zapadła wstrząsająca cisza. Przerywały ją tylko zduszone krzyki i stłumione odgłosy szamotaniny, ale nic poza tym. Doskonale rozumiałem powód.

Nitki opadły na moje usta. Nie mogłem ich otworzyć do krzyku, nawet gdybym chciał.

Oczekiwanie zdawało się trwać wieki. Skóra mi cierpła pod warstwą nitek, które kurczyły się, boleśnie ją ściągając.

Kobieta z Sealandu pytała:

— Michaelu? Licz w myślach, żeby mnie naprowadzić.

Michael zaczął liczyć, śląc obrazy liczb. Liczył miarowo, aż dwójka z dwunastki zafalowała i rozpłynęła się w obraz ulgi i wdzięczności. W ciszy, która zapadła, usłyszałem jego głos:

— Są w tamtej jaskini, tam.

Zaskrzypiała drabina, ocierając się o krawędź skalnej półki, aż w końcu usłyszałem cichy syk. Poczułem wilgoć na twarzy i dłoniach, po czym zaciśnięte więzy zwiotczały. Ponownie spróbowałem otworzyć oczy; powoli i opornie nitki puściły. Rozchyliłem klejące się powieki.

Tuż przede mną, stojąc na górnych szczeblach drabiny, pochylała się ku mnie jakaś postać całkowicie skryta przez lśniący biały strój. W powietrzu wciąż unosiły się te lepkie nitki, ale nie przywierały, gdy spadały na jej hełm i okryte białym kombinezonem ramiona. Ześlizgiwały się i łagodnie opadały. Widziałem tylko parę oczu tej szczelnie okrytej kombinezonem postaci, patrzących na mnie przez małe przezroczyste okienka. Dłoń w białej rękawicy trzymała metalową flaszkę, z której z sykiem wydobywała się rozpylana ciecz.

— Obróć się — przesłała mi myśl.

Obróciłem się, a kobieta spryskała moje ubranie od góry do dołu. Potem pokonała ostatnie dwa lub trzy szczeble, przeszła nade mną i rozpylając ciecz, poszła w głąb jaskini, gdzie leżały Rosalind i Petra. Nad progiem pojawiła się głowa, a potem ramiona Michaela. On również był spryskany cieczą, a te zabłąkane nitki, które teraz na niego opadły, tylko przez chwilę leżały, błyszcząc, i rozpuszczały się. Usiadłem i spojrzałem nad jego ramieniem.

Biała maszyna stała teraz na środku polany. Urządzenie na jej wierzchu przestało się obracać i teraz było widoczne jako coś w rodzaju stożkowatej spirali złożonej z wielu oddzielnych części z jakiegoś przezroczystego materiału. Na boku rybokształtnego kadłuba znajdowały się przeszklone okna i szeroko otwarte drzwi.

Polana wyglądała jak zasnuta przez niewiarygodną liczbę błyskawicznie i sprawnie pracujących pająków. Cała była spowita nitkami, które teraz wydawały się bardziej białe niż szkliste: przez dłuższą chwilę nie wiedziałem, co jest z nimi nie tak, zanim spostrzegłem, że nie poruszają się na wietrze jak pajęczyna. I nie tylko one, ale wszystko tam było nieruchome, zastygłe. Między szałasami leżały liczne ciała ludzi i koni. Równie nieruchome jak reszta.

Nagle po prawej usłyszałem głośny trzask. Spojrzałem tam i zdążyłem zobaczyć, jak młode drzewko łamie się stopę nad ziemią i pada. Potem kątem oka dostrzegłem jeszcze coś — pochylający się krzak. Zobaczyłem, jak jego korzenie wychodzą z ziemi. Poruszył się kolejny. Jeden szałas zapadł się i runął, potem drugi... To był niesamowity i niepokojący widok...

W głębi jaskini Rosalind głośno odetchnęła z ulgą. Wstałem i podszedłem do niej, a Michael za mną. Petra oznajmiła cicho i z lekką dezaprobatą:

— To naprawdę było okropne.

Z wyrzutem i zaciekawieniem spoglądała na postać w białym kombinezonie. Kobieta jeszcze kilkakrotnie rozpyliła ciecz wokół, po czym zdjęła rękawice i zsunęła kaptur. Spojrzała na nas, a my na nią.

Miała duże oczy o tęczówkach bardziej piwnych niż zielonych, ocienione długimi ciemnozłotymi rzęsami. Jej nos był prosty, ale nozdrza wykrojone idealnie jak u posągu. Usta może trochę zbyt szerokie, a podbródek zaokrąglony, ale nie cofnięty. Włosy miała tylko odrobinę ciemniejsze niż Rosalind i — co zdumiewające u kobiety — krótkie. Przycięte niemal na wysokości dolnej szczęki.

Jednak nasze największe zdumienie wywołała jej jasna karnacja. Nie była blada, lecz po prostu biała jak świeża śmietana, z policzkami wyglądającymi jak oprószone różowymi płatkami. Gładkiej twarzy nie przecinała żadna zmarszczka; wyglądała tak świeżo i doskonale, jakby nigdy nie tknął jej wiatr ani deszcz. Trudno nam było uwierzyć, że ktoś może tak wyglądać, tak nieskazitelnie i doskonale, zwłaszcza że bez wątpienia nie była młodą dziewczyną w rozkwicie urody, ale dojrzałą kobietą — może trzydziestoletnią, trudno to orzec. Emanowała spokojną pewnością siebie, przy której niezależność Rosalind wydawała się niemal brawurą.

Przyjrzała się nam, a potem skupiła uwagę na Petrze. Uśmiechnęła się do niej, ukazując idealnie równe, białe zęby.

Ujrzeliśmy szereg niezwykle skomplikowanych obrazów wyrażających przyjemność, zadowolenie, spełnienie, ulgę, aprobatę i — co najbardziej mnie zdziwiło — odrobinę czegoś bardzo zbliżonego do podziwu. Tak złożone uczucia były zbyt subtelne dla Petry, ale zrozumiała je wystarczająco, by przez kilka sekund bacznie spoglądać na kobietę szeroko otwartymi oczami, jakby w jakiś sposób wiedziała, nie pojmując jak i dlaczego, że to jedna z przełomowych chwil w jej życiu.

Potem, po pewnym czasie, odprężyła się, uśmiechnęła i zachichotała. Najwyraźniej wymieniły jakieś myśli, ale w taki sposób lub takiego rodzaju, że do mnie one nie dotarły. Spojrzałem na Rosalind, ale ona tylko potrząsnęła głową, nie odrywając od nich wzroku.

Kobieta z Sealandu pochyliła się i podniosła Petrę. Popatrzyły sobie w oczy. Petra uniosła ręką i delikatnie dotknęła twarzy kobiety, jakby się upewniała, że jest rzeczywista. Sealandka roześmiała się, ucałowała ją i postawiła na ziemi. Powoli pokręciła głową, jakby z niedowierzaniem.

— Warto było — powiedziała słowami, ale tak dziwnie wymawianymi, że w pierwszej chwili ledwie je zrozumiałem. — Tak. Z pewnością było warto!

Przeszła na obrazy myślowe, o wiele łatwiejsze do zrozumienia niż słowa.

— Nie było łatwo uzyskać pozwolenie na przelot tutaj. To ogromna odległość, ponaddwukrotnie większa, niż ktokolwiek z nas dotychczas przebył. A wysłanie tu statku jest bardzo kosztowne, trudno więc było im uwierzyć, że będzie warto. Lecz będzie... — Znów z podziwem spojrzała na Petrę. — W jej wieku i bez szkolenia potrafi wysłać myśl przez pół świata! — Jeszcze raz pokręciła głową, jakby nadal niezupełnie mogła w to uwierzyć. Potem zwróciła się do mnie. — Ona wciąż musi się wiele nauczyć, ale przydzielimy jej najlepszych nauczycieli, a potem, pewnego dnia, to ona będzie ich uczyć.

Usiadła na zrobionym z gałęzi i skór posłaniu Sophie. Na tle zsuniętego białego kaptura jej piękna głowa wyglądała jak w aureoli. W zadumie przyjrzała się kolejno każdemu z nas. Wydawała się zadowolona. Skinęła głową.

— Pomagając sobie wzajemnie, wy też zdołaliście zajść daleko; ale przekonacie się, że możemy was jeszcze wiele nauczyć. — Ujęła dłoń Petry. — Cóż, ponieważ nie macie żadnego dobytku do zabrania i nic już nas tu nie zatrzymuje, powinniśmy już ruszać w drogę.

— Do Waknuk? — spytał Michael.

Było to raczej stwierdzenie niż pytanie i podnosząca się z posłania kobieta znieruchomiała, patrząc na niego pytająco.

— Tam jest jeszcze Rachel — wyjaśnił.

Sealandka zastanowiła się.

— Nie jestem pewna... Zaczekaj chwilę — powiedziała mu. Nagle zaczęła wymieniać myśli z kimś na pokładzie stojącej na polanie maszyny, tak szybko i sprawnie, że prawie nic z tego nie rozumiałem. W końcu z ubolewaniem pokręciła głową.

— Tego się obawiałam — powiedziała. — Przykro mi, ale nie możemy jej zabrać.

— To nie zajmie dużo czasu. To niedaleko dla waszej latającej maszyny — nalegał Michael.

Ponownie pokręciła głową.

— Przykro mi — powtórzyła. — Oczywiście zrobilibyśmy to, gdybyśmy mogli, ale to problem techniczny. Widzicie, nasza podróż trwała dłużej, niż się spodziewaliśmy. Napotkaliśmy kilka przerażających obszarów, nad którymi nie odważyliśmy się przelecieć, nawet na dużej wysokości: musieliśmy je omijać. A ze względu na to, co się tu działo, musieliśmy lecieć szybciej, niż zamierzaliśmy. — Przerwała, zdając się zastanawiać, czy takie dzikusy jak my zrozumieją jej wyjaśnienia. — Ta maszyna — powiedziała — zużywa paliwo. Im większy niesie ciężar i im szybciej podróżuje, tym zużywa go więcej, tak że teraz mamy go tylko tyle, że ledwie wystarczy nam na powrót, jeśli będziemy uważać. Gdybyśmy polecieli do Waknuk i wylądowali tam, a potem wystartowali i mieli na pokładzie was czworo, nie licząc Petry, zużylibyśmy całe paliwo, zanim dotarlibyśmy do domu. To by oznaczało, że wpadlibyśmy do morza i utonęli. Troje z was możemy bezpiecznie zabrać, ale na czworo i dodatkowe lądowanie nie mamy dość paliwa.

W milczeniu zastanawialiśmy się nad sytuacją. Przedstawiła nam ją wystarczająco jasno. Usiadła, nieruchoma postać w białym kombinezonie, obejmując podciągnięte kolana, i czekała współczująco i cierpliwie, aż pogodzimy się z faktami.

Ta przerwa uzmysłowiła nam, jak niesamowita jest panująca wokół nas cisza. Nie przerywał jej żaden dźwięk. Żaden ruch. Nawet liście na drzewach przestały szeleścić. Nagły szok wywołany zrozumieniem sprawił, że z ust Rosalind wyrwało się pytanie:

— Oni nie... oni wszyscy nie... nie żyją? Nie wiedziałam. Myślałam...

— Tak — bez ogródek odparła kobieta z Sealandu. — Oni wszyscy są martwi. Te plastikowe nitki kurczą się, wysychając. Człowiek, który się szamocze, oplątuje się nimi i wkrótce traci przytomność. To miłosierniejsze od waszych strzał i włóczni.

Rosalind zadrżała. Ja chyba także. Było w tym coś przerażającego — coś zupełnie innego od fatalnych rezultatów walki wręcz lub ofiar stoczonej bitwy. Ponadto zaskoczyła nas ta Sealandka, ponieważ nie była bezduszna, ale też niespecjalnie przejęta; wyczuwaliśmy tylko jej lekki niesmak, jakby wywołany nieuniknioną, lecz zwykłą koniecznością. Pojęła nasze zaskoczenie i z dezaprobatą pokręciła głową.

— Zabijanie jakiegokolwiek stworzenia nie jest przyjemne — przyznała — ale udawanie, że można żyć, nie robiąc tego, jest samooszukiwaniem. Trzeba mieć mięso na talerzu, nie dopuszczać do kwitnienia warzyw i kiełkowania niektórych nasion; nawet przerywać cykl życiowy mikrobów, żeby nasz mógł trwać. Nie jest to niczym wstydliwym ani szokującym — to po prostu część wielkiego, obracającego się koła naturalnej gospodarki. I tak jak musimy w ten sposób utrzymywać się przy życiu, tak musimy również chronić nasz gatunek przed innymi gatunkami, które chcą go wytępić — albo w inny sposób zawiodą nasze zaufanie. Nieszczęśni mieszkańcy Obrzeży zostali nie z własnej winy skazani na życie w brudzie i ubóstwie — dla nich nie ma przyszłości. A co do tych, którzy ich skazali... no cóż, to dotyczy i ich. Wiecie, już wcześniej istnieli panowie życia. Słyszeliście o wielkich jaszczurach? Kiedy skończył się ich czas, musiały wyginąć. Kiedyś przyjdzie dzień, gdy i my będziemy musieli ustąpić miejsca czemuś nowemu. Z całą pewnością będziemy się opierać nieuniknionemu, jak te niedobitki Dawnych Ludzi. Ze wszystkich sił będziemy usiłowali wdeptać to w ziemię, z której się wyłoni, bo zdrada własnego gatunku zawsze musi być poczytywana za zbrodnię. Zmusimy to, żeby dowiodło swej wartości, a gdy to zrobi, przeminiemy; tak jak w wyniku tego samego procesu przemijają ci tutaj. Lojalność wobec własnego gatunku nie pozwala im tolerować naszego istnienia; my, lojalni wobec naszego, nie możemy im na to pozwolić. Jeśli ten proces was szokuje, to dlatego, że nie mogliście stanąć z boku i wiedząc, kim jesteście, zrozumieć, że jesteście nowym gatunkiem. Nie pozwala wam na to wasze pochodzenie i wychowanie; wciąż podświadomie uważacie ich za ten sam gatunek. Dlatego jesteście zaszokowani. I dlatego mają nad wami przewagę, ponieważ oni nie mają żadnych wątpliwości. Są gotowi, zbiorowo świadomi zagrożenia dla ich gatunku. Doskonale wiedzą, że jeśli mają przetrwać, to nie tylko muszą się uchronić przed degeneracją, ale także przed jeszcze poważniejszym zagrożeniem, jakim jest lepszy gatunek.

Ponieważ nasz gatunek jest lepszy — ciągnęła — a to dopiero początek. Potrafimy razem myśleć i rozumieć się tak, jak oni nigdy nie zdołają; zaczynamy pojmować zalety współpracy i wykorzystywania wspólnej wiedzy do rozwiązywania problemów; a kto wie, do czego dojdziemy pewnego dnia? Nie jesteśmy zamknięci w izolatkach i skazani na porozumiewanie się za pomocą niewystarczających słów. Rozumiejąc się wzajemnie, nie potrzebujemy praw traktujących formy życia jak nierozróżnialne cegły. Nigdy nie popełnilibyśmy takiej potworności, jaką jest próba narzucenia sobie niezmiennej identyczności, jaką mają monety, nie próbowalibyśmy mechanicznie wtłoczyć się w sztywne ramy społeczne czy polityczne. Nie jesteśmy dogmatykami pouczającymi Boga, jakim powinien uczynić ten świat.

Podstawową cechą życia jest samo życie — mówiła — a istotą życia zmiana; zmiana jest ewolucją i my jesteśmy jej częścią. Zastój, przeciwieństwo zmiany, jest nieprzyjacielem życia, a więc naszym nieubłaganym wrogiem. Jeśli nadal jesteście wstrząśnięci lub macie wątpliwości, przypomnijcie sobie, co robili ci ludzie, którzy nauczyli was, że macie ich uważać za swoich przyjaciół. Niewiele wiem o waszym życiu, ale ten proces prawie się nie zmienia wszędzie tam, gdzie resztka jakiegoś starego gatunku usiłuje przetrwać. I weźcie pod uwagę także to, co zamierzali wam zrobić i dlaczego...

Tak jak poprzednio, teraz też uznałem jej retorykę za nieco przytłaczającą, ale zasadniczo nadążałem za tokiem jej rozumowania. Nie mogłem się zdystansować — co pozwoliłoby mi postrzegać siebie jako przedstawiciela innego gatunku — i nadal nie byłem pewny, czy zdołam. Wciąż uważałem nas za nieszczęsnych przedstawicieli odmiennej mniejszości, jednak mogłem spojrzeć wstecz i zastanowić się, dlaczego byliśmy zmuszeni uciekać...

Zerknąłem na Petrę. Siedziała wyraźnie znudzona całym tym wywodem, z nieco smętnym podziwem obserwując piękną twarz kobiety z Sealandu. Przed oczami przemknął mi szereg obrazów: twarz ciotki Harriet w wodzie, z włosami lekko poruszanymi przez nurt, biedna Anne bezwładnie wisząca na belce, Sally załamująca ręce z obawy o los Katherine i swój, Sophie, zmuszona żyć jak dzikuska, ze strzałą w karku osuwająca się na ziemię...

Każde z tych wspomnień mogło być obrazem przyszłości Petry...

Przysunąłem się do niej i przytuliłem ją do siebie.

Gdy Sealandka wygłaszała swój wykład, Michael cały czas spoglądał na polanę, niemal pożądliwie obserwując stojącą tam maszynę. Gdy kobieta zamilkła, patrzył jeszcze przez chwilę, po czym westchnął i odwrócił się. Przez długą chwilę wpatrywał się w skalne dno jaskini między swoimi stopami. W końcu uniósł głowę.

— Petra, możesz dla mnie skontaktować się z Rachel? — poprosił.

Petra wysłała zapytanie ze swą oślepiającą siłą.

— Tak. Ona tam jest. Chce wiedzieć, co się stało — odpowiedziała.

— Najpierw powiedz jej, że cokolwiek by usłyszała, wszyscy jesteśmy cali i zdrowi.

— Tak — po chwili potwierdziła Petra. — Zrozumiała.

— A teraz przekaż jej — powoli ciągnął Michael — że nadal ma być dzielna i bardzo ostrożna, a niedługo, za trzy lub cztery dni, przybędę i zabiorę ją stamtąd. Powiesz jej to?

Petra energicznie, lecz dokładnie przekazała tę wiadomość. Siedziała, czekając na odpowiedź. Po chwili zaczęła marszczyć brwi.

— O rany — powiedziała z lekkim niesmakiem. — Zupełnie się rozkleiła i znów płacze. Ona strasznie często płacze, ta dziewczyna, nieprawdaż? Nie wiem dlaczego. Jej skrywane myśli tym razem wcale nie są smutne; tak jakby płakała z radości. Czy to nie głupota?

Bez słowa spojrzeliśmy z Rosalind na Michaela.

— Cóż — rzekł obronnym tonem — wy dwoje jesteście wyjęci spod prawa, więc żadne z was nie może tam wrócić.

— Ależ Michael... — zaczęła Rosalind.

— Ona jest całkiem sama — rzekł Michael. — Czy zostawiłabyś tam Davida albo on ciebie?

Na to nie mieliśmy odpowiedzi.

— Powiedziałeś, że ją stamtąd zabierzesz — zauważyła Rosalind.

— I zamierzam to zrobić. Moglibyśmy zostać w Waknuk i czekać, aż pewnego dnia ktoś zdemaskuje nas lub nasze dzieci… To kiepska perspektywa… Albo moglibyśmy przybyć na Obrzeże. — Z niesmakiem popatrzył na jaskinię i polanę na dole. — To też mi nie odpowiada. Rachel zasługuje na coś lepszego, tak samo jak reszta z nas. Zatem dobrze, ponieważ ta maszyna nie może jej zabrać, ktoś musi ją przyprowadzić.

Kobieta z Sealandu pochyliła się, obserwując go. W oczach miała współczucie i podziw, ale lekko pokręciła głową.

— To bardzo daleko, a po drodze jest ten okropny, nieprzebyty teren — przypomniała mu.

— Wiem o tym — przyznał. — Jednak ziemia jest okrągła, na pewno więc można do was dotrzeć jakąś inną drogą.

— To byłoby trudne — i z pewnością niebezpieczne — ostrzegła.

— Nie bardziej niebezpieczne niż pozostanie w Waknuk. Ponadto jak moglibyśmy tam teraz zostać, wiedząc, że jest miejsce dla takich jak my, że mamy dokąd iść? Świadomość tego wszystko zmienia. Świadomość tego, że nie jesteśmy tylko dziwadłami, wybrykami natury usiłującymi ratować swoją skórę. To różnica między pozostawaniem przy życiu a posiadaniem czegoś, dla czego warto żyć.

Kobieta z Sealandu zastanawiała się przez chwilę, a potem znów spojrzała mu w oczy.

— Kiedy do nas dotrzecie, Michaelu — powiedziała — możecie być pewni, że znajdzie się wśród nas miejsce dla was.

Drzwi zamknęły się z łoskotem. Maszyna zadrżała i wzbiła wielki tuman pyłu na polanie. Przez okna widzieliśmy Michaela walczącego z podmuchem szarpiącym jego ubranie. Nawet zmutowane drzewa wokół polany kołysały się w swych plastikowych całunach.

Podłoga pod naszymi stopami przechyliła się. Lekkie szarpnięcie, a potem ziemia pod nami zaczęła opadać, gdy coraz szybciej pięliśmy się w wieczorne niebo. Niebawem maszyna wyrównała lot, kierując się na południowy zachód.

Petra była podekscytowana i nadała trochę za mocno:

— To okropnie cudowne. Widzę wszystko na wiele mil wokół. Och, Michaelu, jaki jesteś tam zabawny i malutki!

Samotna maleńka postać na polance pomachała ręką.

— W tej chwili — przyszła do nas myśl Michaela — sam sobie wydaję się trochę śmieszny i mały, Petro, kochanie. To jednak minie. Podążymy za wami.

Było dokładnie tak, jak to widywałem w snach. Słońce, jaśniejsze niż kiedykolwiek widziałem w Waknuk, oświetlało szeroką błękitną zatokę z liniami białogrzywych fal powoli pełznących ku plaży. Łódki, niektóre z kolorowymi żaglami, a inne bez, płynęły do portu już usianego plamkami innych jednostek. Stłoczone wzdłuż brzegu i rzedniejące w miarę wspinaczki na zbocza wzgórz, rozpościerało się miasto ze swymi białymi domami tonącymi w zieleni parków i ogrodów. Dostrzegłem nawet maleńkie pojazdy sunące szerokimi alejami pomiędzy szpalerami drzew. Trochę dalej w głębi lądu, obok zielonego prostokąta, jasne światło mrugało na wieży i inna latająca maszyna opadała tam na ziemię.

Wszystko to było tak znajome, że niemal niepokojące. Przez jeden krótki moment wyobraziłem sobie, że zaraz zbudzę się w swoim łóżku w Waknuk. Ująłem dłoń Rosalind, by się upewnić, że nie śnię.

— To rzeczywiście istnieje, prawda? Ty też to widzisz? — zapytałem ją.

— I jest piękne, Davidzie. Nigdy nie przypuszczałam, że może być coś tak pięknego... I jest tam jeszcze coś, o czym nigdy mi nie mówiłeś.

— Co? — spytałem.

— Posłuchaj!... Nie czujesz tego? Otwórz szerzej umysł... Petra, kochanie, gdybyś mogła choć na kilka minut przestać paplać...

Zrobiłem to, co mi kazała. Zdawałem sobie sprawę, że mechanik naszej latającej maszyny porozumiewa się z kimś na dole, ale oprócz tego w tle było coś nowego i zupełnie mi nieznanego. Gdyby to porównać do dźwięku, przypominałoby brzęczenie pszczół w ulu, a porównane do światła byłoby wszechobecnym blaskiem.

— Co to takiego? — spytałem zdumiony.

— Nie domyślasz się, Davidzie? To ludzie. Mnóstwo ludzi takich jak my.

Uświadomiłem sobie, że ma rację, i słuchałem tego przez chwilę, aż podekscytowana Petra przestała panować nad sobą i musiałem się chronić przed jej przekazem.

Byliśmy już nad lądem i patrzyliśmy w dół, na wychodzące nam na spotkanie miasto.

— W końcu zaczynam wierzyć, że to rzeczywistość — powiedziałem do Rosalind. — Bo w moich snach nigdy cię przy mnie nie było.

Odwróciła się. Jej twarz ukazywała skrywaną Rosalind, uśmiechniętą, o błyszczących oczach. Zbroja znikła. Pozwoliła mi pod nią zajrzeć. Otworzyła się jak kwiat...

— Tym razem, Davidzie... — zaczęła.

Reszty nie odebrałem. Zachwialiśmy się i złapaliśmy się za głowy. Nawet podłoga pod naszymi stopami zadrżała.

Ze wszystkich stron płynęły niespokojne protesty.

— Och, przykro mi — Petra przeprosiła załogę statku i całe miasto — ale to takie strasznie podniecające.

— Tym razem ci wybaczamy, kochanie — powiedziała jej Rosalind. — Bo takie jest.

2021

Nevil Shute OSTATNI BRZEG
James Blish KWESTIA SUMIENIA
Frank Herbert RÓJ HELLSTROMA
Joe Haldeman WIECZNA WOLNOŚĆ
Theodore Sturgeon WIĘCEJ NIŻ CZŁOWIEK
Eric Frank Russell OSA
George R. Stewart ZIEMIA TRWA
Philip K. Dick OPOWIADANIA NAJLEPSZE

2022

Robert Silverberg UMIERAJĄC, ŻYJEMY
George Orwell ROK 1984
Clifford D. Simak CZAS JEST NAJPROSTSZĄ RZECZĄ
Arthur C. Clarke ODYSEJA KOSMICZNA 2001
George Orwell FOLWARK ZWIERZĘCY
Isaac Asimov KONIEC WIECZNOŚCI

2023

Arthur C. Clarke ODYSEJA KOSMICZNA 2010
Isaac Asimov RÓWNI BOGOM
Arthur C. Clarke SPOTKANIE Z RAMĄ
Poul Anderson OLŚNIENIE
Arthur C. Clarke ODYSEJA KOSMICZNA 2061
Harry Harrison BILL, BOHATER GALAKTYKI
Pat Frank BIADA BABILONOWI
Arthur C. Clarke ODYSEJA KOSMICZNA 3001. FINAŁ
Arthur C. Clarke, Gentry Lee RAMA II